CHINESE NAMES, SURNAM
LOCATIONS & ADDRESSES

中国大陆地址集

ANHUI PROVINCE - PART 10

安徽省

ZIYUE TANG

汤子玥

ACKNOWLEDGEMENT

I am deeply indebted to my friends and family members to support me throughout my life. Without their invaluable love and guidance, this work wouldn't have been possible.

Thank you

Ziyue Tang

汤子玥

PREFACE

The book introduces foreigner students to the Chinese names along with locations and addresses from the **Anhui** Province of China (中国安徽省). The book contains 150 entries (names, addresses) explained with simplified Chinese characters, pinyin and English.

Chinese names follow the standard convention where the given name is written after the surname. For example, in 王威 (Wang Wei), Wang is the surname, and Wei is the given name. Further, the surnames are generally made of one (王) or two characters (司马). Similarly, the given names are also made of either one or two characters. For example, 司马威 (Sima Wei) is a three character Chinese name suitable for men. 司马威威 is a four character Chinese name.

Chinese addresses are comprised of different administrative units that start with the largest geographic entity (country) and continue to the smallest entity (county, building names, room number). For example, a typical address in Nanjing city (capital of Jiangsu province) would look like 江苏省南京市清华路 28 栋 520 室 (Jiāngsū shěng nánjīng shì qīnghuá lù 28 dòng 520 shì; Room 520, Building 28, Qinghua Road, Nanjing City, Jiangsu Province).

CONTENTS

CHAPTER 1: NAME, SURNAME & ADDRESSES (1-30)

1351。姓名: 仇可冠

住址（公司）：安徽省黄山市休宁县员沛路 597 号绅郁有限公司（邮政编码：187721）。联系电话：36079856。电子邮箱：czdwm@onqzmskd.biz.cn

Zhù zhǐ: Qiú Kě Guàn Ānhuī Shěng Huángshān Shì Xiū Níngxiàn Yuán Bèi Lù 597 Hào Shēn Yù Yǒuxiàn Gōngsī (Yóuzhèng Biānmǎ：187721). Liánxì Diànhuà：36079856. Diànzǐ Yóuxiāng：czdwm@onqzmskd.biz.cn

Ke Guan Qiu, Shen Yu Corporation, 597 Yuan Bei Road, Xiuning County, Huangshan, Anhui. Postal Code: 187721. Phone Number：36079856. E-mail：czdwm@onqzmskd.biz.cn

1352。姓名: 西门自化

住址（家庭）：安徽省宣城市宁国市人顺路 524 号化己公寓 37 层 372 室（邮政编码：690289）。联系电话：98173137。电子邮箱：diunz@nqgivryc.cn

Zhù zhǐ: Xīmén Zì Huā Ānhuī Shěng Xuān Chéngshì Níngguó Shì Rén Shùn Lù 524 Hào Huà Jǐ Gōng Yù 37 Céng 372 Shì (Yóuzhèng Biānmǎ：690289). Liánxì Diànhuà：98173137. Diànzǐ Yóuxiāng：diunz@nqgivryc.cn

Zi Hua Ximen, Room# 372, Floor# 37, Hua Ji Apartment, 524 Ren Shun Road, Ningguo, Xuancheng, Anhui. Postal Code: 690289. Phone Number：98173137. E-mail：diunz@nqgivryc.cn

1353。姓名: 弓福化

住址（大学）：安徽省淮南市凤台县全先大学食禹路 111 号（邮政编码：969452）。联系电话：37273789。电子邮箱：qivxa@miqxsgao.edu.cn

Zhù zhǐ: Gōng Fú Huà Ānhuī Shěng Huáinán Shì Fèng Tái Xiàn Quán Xiān DàxuéYì Yǔ Lù 111 Hào (Yóuzhèng Biānmǎ：969452). Liánxì Diànhuà：37273789. Diànzǐ Yóuxiāng：qivxa@miqxsgao.edu.cn

Fu Hua Gong, Quan Xian University, 111 Yi Yu Road, Fengtai County, Huainan, Anhui. Postal Code: 969452. Phone Number：37273789. E-mail：qivxa@miqxsgao.edu.cn

1354。姓名: 莫自克

住址（火车站）：安徽省合肥市长丰县食轼路 797 号合肥站（邮政编码：911479）。联系电话：85463848。电子邮箱：qpesz@egtnvbsz.chr.cn

Zhù zhǐ: Mò Zì Kè Ānhuī Shěng Héféi Shì Zhǎng Fēngxiàn Yì Shì Lù 797 Hào Héféi Zhàn (Yóuzhèng Biānmǎ：911479). Liánxì Diànhuà：85463848. Diànzǐ Yóuxiāng：qpesz@egtnvbsz.chr.cn

Zi Ke Mo, Hefei Railway Station, 797 Yi Shi Road, Changfeng County, Hefei, Anhui. Postal Code: 911479. Phone Number：85463848. E-mail：qpesz@egtnvbsz.chr.cn

1355。姓名: 赖维进

住址（医院）：安徽省六安市霍山县顺星路 818 号钊国医院（邮政编码：248508）。联系电话：31717280。电子邮箱：ojhsw@eyjmfciw.health.cn

Zhù zhǐ: Lài Wéi Jìn Ānhuī Shěng Liù Ān Shì Huòshānxiàn Shùn Xīng Lù 818 Hào Zhāo Guó Yī Yuàn (Yóuzhèng Biānmǎ：248508). Liánxì Diànhuà：31717280. Diànzǐ Yóuxiāng：ojhsw@eyjmfciw.health.cn

Wei Jin Lai, Zhao Guo Hospital, 818 Shun Xing Road, Huoshan County, Luan, Anhui. Postal Code: 248508. Phone Number：31717280. E-mail：ojhsw@eyjmfciw.health.cn

1356。姓名: 蔡禹威

住址（机场）：安徽省蚌埠市五河县谢敬路 488 号蚌埠珏沛国际机场（邮政编码：992274）。联系电话：26396202。电子邮箱：wgoru@xvswjunf.airports.cn

Zhù zhǐ: Cài Yǔ Wēi Ānhuī Shěng Bàngbù Shì Wǔ Hé Xiàn Xiè Jìng Lù 488 Hào Bàngbù Jué Bèi Guó Jì Jī Chǎng (Yóuzhèng Biānmǎ：992274). Liánxì Diànhuà：26396202. Diànzǐ Yóuxiāng：wgoru@xvswjunf.airports.cn

Yu Wei Cai, Bengbu Jue Bei International Airport, 488 Xie Jing Road, Wuhe County, Bengbu, Anhui. Postal Code: 992274. Phone Number：26396202. E-mail：wgoru@xvswjunf.airports.cn

1357。姓名: 穆可盛

住址（医院）：安徽省滁州市天长市岐近路 777 号乐帆医院（邮政编码：667552）。联系电话：16767281。电子邮箱：bdskj@avmxfhli.health.cn

Zhù zhǐ: Mù Kě Chéng Ānhuī Shěng Chúzhōu Shì Tiāncháng Shì Qí Jìn Lù 777 Hào Lè Fān Yī Yuàn (Yóuzhèng Biānmǎ：667552). Liánxì Diànhuà：16767281. Diànzǐ Yóuxiāng：bdskj@avmxfhli.health.cn

Ke Cheng Mu, Le Fan Hospital, 777 Qi Jin Road, Tianchang City, Chuzhou, Anhui. Postal Code: 667552. Phone Number：16767281. E-mail：bdskj@avmxfhli.health.cn

1358。姓名: 柏德坤

住址（湖泊）：安徽省安庆市怀宁县骥澜路 343 号帆澜湖（邮政编码：839264）。联系电话：27274422。电子邮箱：qepbt@hftnxyjp.lakes.cn

Zhù zhǐ: Bǎi Dé Kūn Ānhuī Shěng Ānqìng Shì Huái Níngxiàn Jì Lán Lù 343 Hào Fān Lán Hú (Yóuzhèng Biānmǎ：839264). Liánxì Diànhuà：27274422. Diànzǐ Yóuxiāng：qepbt@hftnxyjp.lakes.cn

De Kun Bai, Fan Lan Lake, 343 Ji Lan Road, Huaining County, Anqing, Anhui. Postal Code: 839264. Phone Number：27274422. E-mail：qepbt@hftnxyjp.lakes.cn

1359。姓名: 穀梁稼计

住址（家庭）：安徽省黄山市黟县大磊路 332 号铭中公寓 27 层 752 室（邮政编码：815481）。联系电话：12099809。电子邮箱：niweh@wrjkzpbf.cn

Zhù zhǐ: Gǔliáng Jià Jì Ānhuī Shěng Huángshān Shì Yī Xiàn Dà Lěi Lù 332 Hào Míng Zhòng Gōng Yù 27 Céng 752 Shì (Yóuzhèng Biānmǎ：815481). Liánxì Diànhuà：12099809. Diànzǐ Yóuxiāng：niweh@wrjkzpbf.cn

Jia Ji Guliang, Room# 752, Floor# 27, Ming Zhong Apartment, 332 Da Lei Road, Yi County, Huangshan, Anhui. Postal Code: 815481. Phone Number：12099809. E-mail：niweh@wrjkzpbf.cn

1360。姓名: 鲜于汉恩

住址（公共汽车站）：安徽省黄山市祁门县陆全路 755 号浩强站（邮政编码：730924）。联系电话：61681238。电子邮箱：wlvzs@yremuobf.transport.cn

Zhù zhǐ: Xiānyú Hàn Ēn Ānhuī Shěng Huángshān Shì Qí Mén Xiàn Liù Quán Lù 755 Hào Hào Qiáng Zhàn (Yóuzhèng Biānmǎ：730924). Liánxì Diànhuà：61681238. Diànzǐ Yóuxiāng：wlvzs@yremuobf.transport.cn

Han En Xianyu, Hao Qiang Bus Station, 755 Liu Quan Road, Qimen County, Huangshan, Anhui. Postal Code: 730924. Phone Number：61681238. E-mail：wlvzs@yremuobf.transport.cn

1361。姓名: 暨亭彬

住址（公共汽车站）：安徽省蚌埠市怀远县友铭路 464 号茂铁站（邮政编码：392176）。联系电话：34953403。电子邮箱：vdqtx@kgpondve.transport.cn

Zhù zhǐ: Jì Tíng Bīn Ānhuī Shěng Bàngbù Shì Huáiyuǎn Xiàn Yǒu Míng Lù 464 Hào Mào Tiě Zhàn (Yóuzhèng Biānmǎ：392176). Liánxì Diànhuà：34953403. Diànzǐ Yóuxiāng：vdqtx@kgpondve.transport.cn

Ting Bin Ji, Mao Tie Bus Station, 464 You Ming Road, Huaiyuan County, Bengbu, Anhui. Postal Code: 392176. Phone Number：34953403. E-mail：vdqtx@kgpondve.transport.cn

1362。姓名: 云兵友

住址（机场）：安徽省阜阳市颍东区大人路 104 号阜阳豹俊国际机场（邮政编码：219678）。联系电话：90983971。电子邮箱：xopaq@zejkuold.airports.cn

Zhù zhǐ: Yún Bīng Yǒu Ānhuī Shěng Fùyáng Shì Yǐng Dōngqū Dài Rén Lù 104 Hào Fùyáng Bào Jùn Guó Jì Jī Chǎng（Yóuzhèng Biānmǎ：219678). Liánxì Diànhuà：90983971. Diànzǐ Yóuxiāng：xopaq@zejkuold.airports.cn

Bing You Yun, Fuyang Bao Jun International Airport, 104 Dai Ren Road, Yingdong District, Fuyang, Anhui. Postal Code: 219678. Phone Number：90983971. E-mail：xopaq@zejkuold.airports.cn

1363。姓名: 步郁恩

住址（寺庙）：安徽省马鞍山市含山县兆维路 312 号院宝寺（邮政编码：328104）。联系电话：62535281。电子邮箱：dwmqu@arekxcwt.god.cn

Zhù zhǐ: Bù Yù Ēn Ānhuī Shěng Mǎānshān Shì Hánshānxiàn Zhào Wéi Lù 312 Hào Yuàn Bǎo Sì（Yóuzhèng Biānmǎ：328104). Liánxì Diànhuà：62535281. Diànzǐ Yóuxiāng：dwmqu@arekxcwt.god.cn

Yu En Bu, Yuan Bao Temple, 312 Zhao Wei Road, Hanshan County, Maanshan, Anhui. Postal Code: 328104. Phone Number：62535281. E-mail：dwmqu@arekxcwt.god.cn

1364。姓名: 哈秀岐

住址（公共汽车站）：安徽省池州市贵池区中翼路 350 号立柱站（邮政编码：659112）。联系电话：21289330。电子邮箱：rcawi@xmakwiyn.transport.cn

Zhù zhǐ: Hǎ Xiù Qí Ānhuī Shěng Chízhōu Shì Guì Chí Qū Zhòng Yì Lù 350 Hào Lì Zhù Zhàn (Yóuzhèng Biānmǎ：659112). Liánxì Diànhuà：21289330. Diànzǐ Yóuxiāng：rcawi@xmakwiyn.transport.cn

Xiu Qi Ha, Li Zhu Bus Station, 350 Zhong Yi Road, Guichi District, Chizhou, Anhui. Postal Code: 659112. Phone Number：21289330. E-mail：rcawi@xmakwiyn.transport.cn

1365。姓名: 晏辙铭

住址（大学）：安徽省马鞍山市含山县发守大学沛锤路 771 号（邮政编码：144533）。联系电话：88942254。电子邮箱：grsjh@ybjoxhkd.edu.cn

Zhù zhǐ: Yàn Zhé Míng Ānhuī Shěng Mǎānshān Shì Hánshānxiàn Fā Shǒu DàxuéPèi Chuí Lù 771 Hào (Yóuzhèng Biānmǎ：144533). Liánxì Diànhuà：88942254. Diànzǐ Yóuxiāng：grsjh@ybjoxhkd.edu.cn

Zhe Ming Yan, Fa Shou University, 771 Pei Chui Road, Hanshan County, Maanshan, Anhui. Postal Code: 144533. Phone Number：88942254. E-mail：grsjh@ybjoxhkd.edu.cn

1366。姓名: 充源陆

住址（寺庙）：安徽省亳州市谯城区亮波路 793 号坡原寺（邮政编码：392217）。联系电话：93050371。电子邮箱：vxrwq@rzxbdepk.god.cn

Zhù zhǐ: Chōng Yuán Liù Ānhuī Shěng Bózhōu Qiáo Chéngqū Liàng Bō Lù 793 Hào Pō Yuán Sì (Yóuzhèng Biānmǎ：392217). Liánxì Diànhuà：93050371. Diànzǐ Yóuxiāng：vxrwq@rzxbdepk.god.cn

Yuan Liu Chong, Po Yuan Temple, 793 Liang Bo Road, Qiaocheng District, Bozhou, Anhui. Postal Code: 392217. Phone Number：93050371. E-mail：vxrwq@rzxbdepk.god.cn

1367。姓名: 任福浩

住址（火车站）：安徽省芜湖市湾沚区盛来路 925 号芜湖站（邮政编码：313623）。联系电话：65598557。电子邮箱：zfjmg@brdfyuwi.chr.cn

Zhù zhǐ: Rèn Fú Hào Ānhuī Shěng Wúhú Shì Wān Zhǐ Qū Chéng Lái Lù 925 Hào Wúú Zhàn (Yóuzhèng Biānmǎ：313623). Liánxì Diànhuà：65598557. Diànzǐ Yóuxiāng：zfjmg@brdfyuwi.chr.cn

Fu Hao Ren, Wuhu Railway Station, 925 Cheng Lai Road, Bay Area, Wuhu, Anhui. Postal Code: 313623. Phone Number：65598557. E-mail：zfjmg@brdfyuwi.chr.cn

1368。姓名: 池黎伦

住址（湖泊）：安徽省马鞍山市博望区亮辙路 285 号涛迅湖（邮政编码：199809）。联系电话：74201234。电子邮箱：qurhy@toeamjyg.lakes.cn

Zhù zhǐ: Chí Lí Lún Ānhuī Shěng Mǎānshān Shì Bó Wàng Qū Liàng Zhé Lù 285 Hào Tāo Xùn Hú (Yóuzhèng Biānmǎ：199809). Liánxì Diànhuà：74201234. Diànzǐ Yóuxiāng：qurhy@toeamjyg.lakes.cn

Li Lun Chi, Tao Xun Lake, 285 Liang Zhe Road, Bowang District, Maanshan, Anhui. Postal Code: 199809. Phone Number：74201234. E-mail：qurhy@toeamjyg.lakes.cn

1369。姓名: 邴译沛

住址（家庭）：安徽省池州市东至县跃大路 668 号科晖公寓 4 层 584 室（邮政编码：372496）。联系电话：41769971。电子邮箱：nscyq@flhskwvz.cn

Zhù zhǐ: Bǐng Yì Pèi Ānhuī Shěng Chízhōu Shì Dōng Zhì Xiàn Yuè Dài Lù 668 Hào Kē Huī Gōng Yù 4 Céng 584 Shì (Yóuzhèng Biānmǎ：372496). Liánxì Diànhuà：41769971. Diànzǐ Yóuxiāng：nscyq@flhskwvz.cn

Yi Pei Bing, Room# 584, Floor# 4, Ke Hui Apartment, 668 Yue Dai Road, Dongzhi County, Chizhou, Anhui. Postal Code: 372496. Phone Number：41769971. E-mail：nscyq@flhskwvz.cn

1370。姓名: 米亚亮

住址（火车站）：安徽省滁州市天长市源轼路 523 号滁州站（邮政编码：207663）。联系电话：73319094。电子邮箱：afkhc@rspguajo.chr.cn

Zhù zhǐ: Mǐ Yà Liàng Ānhuī Shěng Chúzhōu Shì Tiāncháng Shì Yuán Shì Lù 523 Hào Cúzōu Zhàn (Yóuzhèng Biānmǎ：207663). Liánxì Diànhuà：73319094. Diànzǐ Yóuxiāng：afkhc@rspguajo.chr.cn

Ya Liang Mi, Chuzhou Railway Station, 523 Yuan Shi Road, Tianchang City, Chuzhou, Anhui. Postal Code: 207663. Phone Number：73319094. E-mail：afkhc@rspguajo.chr.cn

1371。姓名: 慕石亮

住址（公司）：安徽省池州市贵池区龙德路 788 号柱辙有限公司（邮政编码：298675）。联系电话：84240013。电子邮箱：ftqgz@siqayjfc.biz.cn

Zhù zhǐ: Mù Shí Liàng Ānhuī Shěng Chízhōu Shì Guì Chí Qū Lóng Dé Lù 788 Hào Zhù Zhé Yǒuxiàn Gōngsī (Yóuzhèng Biānmǎ：298675). Liánxì Diànhuà：84240013. Diànzǐ Yóuxiāng：ftqgz@siqayjfc.biz.cn

Shi Liang Mu, Zhu Zhe Corporation, 788 Long De Road, Guichi District, Chizhou, Anhui. Postal Code: 298675. Phone Number：84240013. E-mail：ftqgz@siqayjfc.biz.cn

1372。姓名: 澹台食译

住址（博物院）：安徽省六安市金安区冕彬路 467 号六安博物馆（邮政编码：232160）。联系电话：64196152。电子邮箱：hadsn@ejzukqfh.museums.cn

Zhù zhǐ: Tántái Sì Yì Ānhuī Shěng Liù Ān Shì Jīn Ān Qū Miǎn Bīn Lù 467 Hào Liù Ān Bó Wù Guǎn (Yóuzhèng Biānmǎ：232160). Liánxì Diànhuà：64196152. Diànzǐ Yóuxiāng：hadsn@ejzukqfh.museums.cn

Si Yi Tantai, Luan Museum, 467 Mian Bin Road, Jinan District, Luan, Anhui. Postal Code: 232160. Phone Number：64196152. E-mail：hadsn@ejzukqfh.museums.cn

1373。姓名: 司空帆队

住址（酒店）：安徽省安庆市岳西县辉发路 517 号亭仲酒店（邮政编码：903167）。联系电话：41007306。电子邮箱：yfkwl@mwqclbux.biz.cn

Zhù zhǐ: Sīkōng Fān Duì Ānhuī Shěng Ānqìng Shì Yuè Xī Xiàn Huī Fā Lù 517 Hào Tíng Zhòng Jiǔ Diàn（Yóuzhèng Biānmǎ：903167). Liánxì Diànhuà：41007306. Diànzǐ Yóuxiāng：yfkwl@mwqclbux.biz.cn

Fan Dui Sikong, Ting Zhong Hotel, 517 Hui Fa Road, Yuexi County, Anqing, Anhui. Postal Code: 903167. Phone Number：41007306. E-mail：yfkwl@mwqclbux.biz.cn

1374。姓名: 虞大臻

住址（机场）：安徽省安庆市潜山市土昌路 720 号安庆翼领国际机场（邮政编码：608779）。联系电话：37248703。电子邮箱：hxovb@ebvdnpgl.airports.cn

Zhù zhǐ: Yú Dà Zhēn Ānhuī Shěng Ānqìng Shì Qián Shān Shì Tǔ Chāng Lù 720 Hào Ānqng Yì Lǐng Guó Jì Jī Chǎng（Yóuzhèng Biānmǎ：608779). Liánxì Diànhuà：37248703. Diànzǐ Yóuxiāng：hxovb@ebvdnpgl.airports.cn

Da Zhen Yu, Anqing Yi Ling International Airport, 720 Tu Chang Road, Qianshan City, Anqing, Anhui. Postal Code: 608779. Phone Number：37248703. E-mail：hxovb@ebvdnpgl.airports.cn

1375。姓名: 项刚仓

住址（广场）：安徽省宣城市宣州区庆翼路 427 号中龙广场（邮政编码：964437）。联系电话：58121696。电子邮箱：jtqxp@qcvyzatu.squares.cn

Zhù zhǐ: Xiàng Gāng Cāng Ānhuī Shěng Xuān Chéngshì Xuān Zhōu Qū Qìng Yì Lù 427 Hào Zhòng Lóng Guǎng Chǎng (Yóuzhèng Biānmǎ：964437). Liánxì Diànhuà：58121696. Diànzǐ Yóuxiāng：jtqxp@qcvyzatu.squares.cn

Gang Cang Xiang, Zhong Long Square, 427 Qing Yi Road, Xuanzhou District, Xuancheng, Anhui. Postal Code: 964437. Phone Number：58121696. E-mail：jtqxp@qcvyzatu.squares.cn

1376。姓名: 柯食学

住址（机场）：安徽省淮南市潘集区金宝路 773 号淮南继智国际机场（邮政编码：225185）。联系电话：58441729。电子邮箱：vsnhw@oplgrhxw.airports.cn

Zhù zhǐ: Kē Yì Xué Ānhuī Shěng Huáinán Shì Pānjí Qū Jīn Bǎo Lù 773 Hào Huáinán Jì Zhì Guó Jì Jī Chǎng (Yóuzhèng Biānmǎ：225185). Liánxì Diànhuà：58441729. Diànzǐ Yóuxiāng：vsnhw@oplgrhxw.airports.cn

Yi Xue Ke, Huainan Ji Zhi International Airport, 773 Jin Bao Road, Panji District, Huainan, Anhui. Postal Code: 225185. Phone Number：58441729. E-mail：vsnhw@oplgrhxw.airports.cn

1377。姓名: 冉国译

住址（酒店）：安徽省六安市舒城县冠舟路 183 号顺游酒店（邮政编码：939904）。联系电话：84962599。电子邮箱：dyapu@ortlwxsc.biz.cn

Zhù zhǐ: Rǎn Guó Yì Ānhuī Shěng Liù Ān Shì Shū Chéng Xiàn Guān Zhōu Lù 183 Hào Shùn Yóu Jiǔ Diàn (Yóuzhèng Biānmǎ：939904). Liánxì Diànhuà：84962599. Diànzǐ Yóuxiāng：dyapu@ortlwxsc.biz.cn

Guo Yi Ran, Shun You Hotel, 183 Guan Zhou Road, Shucheng County, Luan, Anhui. Postal Code: 939904. Phone Number：84962599. E-mail：dyapu@ortlwxsc.biz.cn

1378。姓名: 栾嘉懂

住址（公共汽车站）：安徽省铜陵市郊区其敬路 868 号隆迅站（邮政编码：746404）。联系电话：97093944。电子邮箱：yvzud@pczkjmas.transport.cn

Zhù zhǐ: Luán Jiā Dǒng Ānhuī Shěng Tónglíng Shì Jiāoqū Qí Jìng Lù 868 Hào Lóng Xùn Zhàn (Yóuzhèng Biānmǎ：746404). Liánxì Diànhuà：97093944. Diànzǐ Yóuxiāng：yvzud@pczkjmas.transport.cn

Jia Dong Luan, Long Xun Bus Station, 868 Qi Jing Road, Jiao District, Tongling, Anhui. Postal Code: 746404. Phone Number：97093944. E-mail：yvzud@pczkjmas.transport.cn

1379。姓名: 那启臻

住址（公司）：安徽省宿州市埇桥区龙民路 681 号泽炯有限公司（邮政编码：387589）。联系电话：79856554。电子邮箱：ngjqc@tygpcfqv.biz.cn

Zhù zhǐ: Nā Qǐ Zhēn Ānhuī Shěng Sùzhōu Shì Yǒng Qiáo Qū Lóng Mín Lù 681 Hào Zé Jiǒng Yǒuxiàn Gōngsī (Yóuzhèng Biānmǎ：387589). Liánxì Diànhuà：79856554. Diànzǐ Yóuxiāng：ngjqc@tygpcfqv.biz.cn

Qi Zhen Na, Ze Jiong Corporation, 681 Long Min Road, Yongqiao District, Suzhou, Anhui. Postal Code: 387589. Phone Number：79856554. E-mail：ngjqc@tygpcfqv.biz.cn

1380。姓名: 咸强征

住址（广场）：安徽省六安市叶集区强岐路 346 号强水广场（邮政编码：324176）。联系电话：87552638。电子邮箱：njtui@sqcwfroz.squares.cn

Zhù zhǐ: Xián Qiǎng Zhēng Ānhuī Shěng Liù Ān Shì Yè Jí Qū Qiáng Qí Lù 346 Hào Qiáng Shuǐ Guǎng Chǎng (Yóuzhèng Biānmǎ：324176). Liánxì Diànhuà：87552638. Diànzǐ Yóuxiāng：njtui@sqcwfroz.squares.cn

Qiang Zheng Xian, Qiang Shui Square, 346 Qiang Qi Road, Yeji District, Luan, Anhui. Postal Code: 324176. Phone Number：87552638. E-mail：njtui@sqcwfroz.squares.cn

CHAPTER 2: NAME, SURNAME & ADDRESSES (31-60)

1381。姓名: 慕容帆近

住址（公共汽车站）：安徽省淮南市谢家集区风冕路 174 号己陶站（邮政编码：123513）。联系电话：18055470。电子邮箱：iompc@snqzfryo.transport.cn

Zhù zhǐ: Mùróng Fān Jìn Ānhuī Shěng Huáinán Shì Xiè Jiā Jí Qū Fēng Miǎn Lù 174 Hào Jǐ Táo Zhàn (Yóuzhèng Biānmǎ：123513). Liánxì Diànhuà：18055470. Diànzǐ Yóuxiāng：iompc@snqzfryo.transport.cn

Fan Jin Murong, Ji Tao Bus Station, 174 Feng Mian Road, Xiejiaji District, Huainan, Anhui. Postal Code: 123513. Phone Number：18055470. E-mail：iompc@snqzfryo.transport.cn

1382。姓名: 危宽铁

住址（机场）：安徽省淮南市潘集区豹歧路 676 号淮南盛辉国际机场（邮政编码：323711）。联系电话：76602767。电子邮箱：npzvg@hxtgdcem.airports.cn

Zhù zhǐ: Wēi Kuān Fū Ānhuī Shěng Huáinán Shì Pānjí Qū Bào Qí Lù 676 Hào Huáinán Chéng Huī Guó Jì Jī Chǎng (Yóuzhèng Biānmǎ：323711). Liánxì Diànhuà：76602767. Diànzǐ Yóuxiāng：npzvg@hxtgdcem.airports.cn

Kuan Fu Wei, Huainan Cheng Hui International Airport, 676 Bao Qi Road, Panji District, Huainan, Anhui. Postal Code: 323711. Phone Number：76602767. E-mail：npzvg@hxtgdcem.airports.cn

1383。姓名: 万斌乐

住址（家庭）：安徽省宣城市绩溪县世熔路 695 号炯嘉公寓 4 层 579 室（邮政编码：418990）。联系电话：57645047。电子邮箱：xpaoy@rinbktdl.cn

Zhù zhǐ: Wàn Bīn Lè Ānhuī Shěng Xuān Chéngshì Jīxī Xiàn Shì Róng Lù 695 Hào Jiǒng Jiā Gōng Yù 4 Céng 579 Shì (Yóuzhèng Biānmǎ：418990). Liánxì Diànhuà：57645047. Diànzǐ Yóuxiāng：xpaoy@rinbktdl.cn

Bin Le Wan, Room# 579, Floor# 4, Jiong Jia Apartment, 695 Shi Rong Road, Jixi County, Xuancheng, Anhui. Postal Code: 418990. Phone Number：57645047. E-mail：xpaoy@rinbktdl.cn

1384。姓名: 喻勇尚

住址（火车站）：安徽省蚌埠市固镇县石振路 372 号蚌埠站（邮政编码：251259）。联系电话：75618671。电子邮箱：znmsk@wtljzsef.chr.cn

Zhù zhǐ: Yù Yǒng Shàng Ānhuī Shěng Bàngbù Shì Gù Zhèn Xiàn Dàn Zhèn Lù 372 Hào Bàngbù Zhàn (Yóuzhèng Biānmǎ：251259). Liánxì Diànhuà：75618671. Diànzǐ Yóuxiāng：znmsk@wtljzsef.chr.cn

Yong Shang Yu, Bengbu Railway Station, 372 Dan Zhen Road, Guzhen County, Bengbu, Anhui. Postal Code: 251259. Phone Number：75618671. E-mail：znmsk@wtljzsef.chr.cn

1385。姓名: 夏克彬

住址（火车站）：安徽省芜湖市繁昌区仲其路 602 号芜湖站（邮政编码：790776）。联系电话：40785492。电子邮箱：nudrk@knucesiq.chr.cn

Zhù zhǐ: Xià Kè Bīn Ānhuī Shěng Wúhú Shì Fánchāng Qū Zhòng Qí Lù 602 Hào Wúú Zhàn (Yóuzhèng Biānmǎ：790776). Liánxì Diànhuà：40785492. Diànzǐ Yóuxiāng：nudrk@knucesiq.chr.cn

Ke Bin Xia, Wuhu Railway Station, 602 Zhong Qi Road, Fanchang District, Wuhu, Anhui. Postal Code: 790776. Phone Number：40785492. E-mail：nudrk@knucesiq.chr.cn

1386。姓名: 禄中俊

住址（公司）：安徽省池州市石台县院乙路 270 号翼秀有限公司（邮政编码：242773）。联系电话：59362818。电子邮箱：ixhdy@giprfcun.biz.cn

Zhù zhǐ: Lù Zhōng Jùn Ānhuī Shěng Chízhōu Shì Shí Tái Xiàn Yuàn Yǐ Lù 270 Hào Yì Xiù Yǒuxiàn Gōngsī (Yóuzhèng Biānmǎ：242773). Liánxì Diànhuà：59362818. Diànzǐ Yóuxiāng：ixhdy@giprfcun.biz.cn

Zhong Jun Lu, Yi Xiu Corporation, 270 Yuan Yi Road, Shitai County, Chizhou, Anhui. Postal Code: 242773. Phone Number：59362818. E-mail：ixhdy@giprfcun.biz.cn

1387。姓名: 许刚舟

住址（医院）：安徽省铜陵市郊区隆葆路 710 号毅克医院（邮政编码：417847）。联系电话：88973503。电子邮箱：rdkxg@wlxusyne.health.cn

Zhù zhǐ: Xǔ Gāng Zhōu Ānhuī Shěng Tónglíng Shì Jiāoqū Lóng Bǎo Lù 710 Hào Yì Kè Yī Yuàn (Yóuzhèng Biānmǎ：417847). Liánxì Diànhuà：88973503. Diànzǐ Yóuxiāng：rdkxg@wlxusyne.health.cn

Gang Zhou Xu, Yi Ke Hospital, 710 Long Bao Road, Jiao District, Tongling, Anhui. Postal Code: 417847. Phone Number：88973503. E-mail：rdkxg@wlxusyne.health.cn

1388。姓名: 钦学水

住址（广场）：安徽省宣城市泾县跃翰路 669 号郁化广场（邮政编码：351990）。联系电话：27004718。电子邮箱：zbqsh@xiagywpl.squares.cn

Zhù zhǐ: Qīn Xué Shuǐ Ānhuī Shěng Xuān Chéngshì Jīng Xiàn Yuè Hàn Lù 669 Hào Yù Huà Guǎng Chǎng (Yóuzhèng Biānmǎ：351990). Liánxì Diànhuà：27004718. Diànzǐ Yóuxiāng：zbqsh@xiagywpl.squares.cn

Xue Shui Qin, Yu Hua Square, 669 Yue Han Road, Jing County, Xuancheng, Anhui. Postal Code: 351990. Phone Number：27004718. E-mail：zbqsh@xiagywpl.squares.cn

1389。姓名: 夏先福

住址（寺庙）：安徽省亳州市蒙城县龙征路 598 号锡石寺（邮政编码：397338）。联系电话：45742132。电子邮箱：fwcds@toihnvys.god.cn

Zhù zhǐ: Xià Xiān Fú Ānhuī Shěng Bózhōu Méng Chéng Xiàn Lóng Zhēng Lù 598 Hào Xī Shí Sì (Yóuzhèng Biānmǎ：397338). Liánxì Diànhuà：45742132. Diànzǐ Yóuxiāng：fwcds@toihnvys.god.cn

Xian Fu Xia, Xi Shi Temple, 598 Long Zheng Road, Mengcheng County, Bozhou, Anhui. Postal Code: 397338. Phone Number：45742132. E-mail：fwcds@toihnvys.god.cn

1390。姓名: 支舟汉

住址（医院）：安徽省合肥市肥东县辉坚路 155 号刚绅医院（邮政编码：928595）。联系电话：21315445。电子邮箱：mgaxs@xznpsfrt.health.cn

Zhù zhǐ: Zhī Zhōu Hàn Ānhuī Shěng Héféi Shì Féi Dōng Xiàn Huī Jiān Lù 155 Hào Gāng Shēn Yī Yuàn (Yóuzhèng Biānmǎ：928595). Liánxì Diànhuà：21315445. Diànzǐ Yóuxiāng：mgaxs@xznpsfrt.health.cn

Zhou Han Zhi, Gang Shen Hospital, 155 Hui Jian Road, Feidong County, Hefei, Anhui. Postal Code: 928595. Phone Number：21315445. E-mail：mgaxs@xznpsfrt.health.cn

1391。姓名: 公羊员成

住址（公司）：安徽省池州市青阳县澜振路 251 号金成有限公司（邮政编码：316075）。联系电话：41836331。电子邮箱：scgdw@cztvlfjy.biz.cn

Zhù zhǐ: Gōngyáng Yuán Chéng Ānhuī Shěng Chízhōu Shì Qīng Yáng Xiàn Lán Zhèn Lù 251 Hào Jīn Chéng Yǒuxiàn Gōngsī (Yóuzhèng Biānmǎ：316075). Liánxì Diànhuà：41836331. Diànzǐ Yóuxiāng：scgdw@cztvlfjy.biz.cn

Yuan Cheng Gongyang, Jin Cheng Corporation, 251 Lan Zhen Road, Qingyang County, Chizhou, Anhui. Postal Code: 316075. Phone Number：41836331. E-mail：scgdw@cztvlfjy.biz.cn

1392。姓名: 后风阳

住址（广场）：安徽省淮南市寿县克顺路 942 号陆愈广场（邮政编码：532312）。联系电话：90965681。电子邮箱：apotj@ijyofawz.squares.cn

Zhù zhǐ: Hòu Fēng Yáng Ānhuī Shěng Huáinán Shì Shòu Xiàn Kè Shùn Lù 942 Hào Lù Yù Guǎng Chǎng (Yóuzhèng Biānmǎ：532312). Liánxì Diànhuà：90965681. Diànzǐ Yóuxiāng：apotj@ijyofawz.squares.cn

Feng Yang Hou, Lu Yu Square, 942 Ke Shun Road, Shou County, Huainan, Anhui. Postal Code: 532312. Phone Number：90965681. E-mail：apotj@ijyofawz.squares.cn

1393。姓名: 全葆乐

住址（公司）：安徽省合肥市长丰县泽征路 753 号启继有限公司（邮政编码：974185）。联系电话：17393443。电子邮箱：khwsu@ryfmupxz.biz.cn

Zhù zhǐ: Quán Bǎo Lè Ānhuī Shěng Héféi Shì Zhǎng Fēngxiàn Zé Zhēng Lù 753 Hào Qǐ Jì Yǒuxiàn Gōngsī (Yóuzhèng Biānmǎ：974185). Liánxì Diànhuà：17393443. Diànzǐ Yóuxiāng：khwsu@ryfmupxz.biz.cn

Bao Le Quan, Qi Ji Corporation, 753 Ze Zheng Road, Changfeng County, Hefei, Anhui. Postal Code: 974185. Phone Number：17393443. E-mail：khwsu@ryfmupxz.biz.cn

1394。姓名: 乐正中铁

住址（公司）：安徽省宣城市旌德县冠化路 829 号振其有限公司（邮政编码：244576）。联系电话：58536328。电子邮箱：hnzpl@zrvqhcfd.biz.cn

Zhù zhǐ: Yuèzhèng Zhòng Yì Ānhuī Shěng Xuān Chéngshì Jīng Dé Xiàn Guàn Huā Lù 829 Hào Zhèn Qí Yǒuxiàn Gōngsī (Yóuzhèng Biānmǎ：244576). Liánxì Diànhuà：58536328. Diànzǐ Yóuxiāng：hnzpl@zrvqhcfd.biz.cn

Zhong Yi Yuezheng, Zhen Qi Corporation, 829 Guan Hua Road, Jingde County, Xuancheng, Anhui. Postal Code: 244576. Phone Number：58536328. E-mail: hnzpl@zrvqhcfd.biz.cn

1395。姓名: 邵渊强

住址（火车站）：安徽省淮南市潘集区隆计路 302 号淮南站（邮政编码：305719）。联系电话：89190816。电子邮箱：kfatm@oryjpgbl.chr.cn

Zhù zhǐ: Shào Yuān Qiǎng Ānhuī Shěng Huáinán Shì Pānjí Qū Lóng Jì Lù 302 Hào Huáinán Zhàn (Yóuzhèng Biānmǎ：305719). Liánxì Diànhuà：89190816. Diànzǐ Yóuxiāng：kfatm@oryjpgbl.chr.cn

Yuan Qiang Shao, Huainan Railway Station, 302 Long Ji Road, Panji District, Huainan, Anhui. Postal Code: 305719. Phone Number：89190816. E-mail: kfatm@oryjpgbl.chr.cn

1396。姓名: 申屠铁稼

住址（酒店）：安徽省池州市石台县舟土路 780 号员不酒店（邮政编码：629738）。联系电话：64405983。电子邮箱：yksam@rzyjgxec.biz.cn

Zhù zhǐ: Shēntú Fū Jià Ānhuī Shěng Chízhōu Shì Shí Tái Xiàn Zhōu Tǔ Lù 780 Hào Yún Bù Jiǔ Diàn (Yóuzhèng Biānmǎ：629738). Liánxì Diànhuà：64405983. Diànzǐ Yóuxiāng：yksam@rzyjgxec.biz.cn

Fu Jia Shentu, Yun Bu Hotel, 780 Zhou Tu Road, Shitai County, Chizhou, Anhui. Postal Code: 629738. Phone Number：64405983. E-mail：yksam@rzyjgxec.biz.cn

1397。姓名: 雷恩中

住址（公园）：安徽省黄山市黄山区冠沛路 997 号大陆公园（邮政编码：661566）。联系电话：20011720。电子邮箱：xiebo@wuynjvrz.parks.cn

Zhù zhǐ: Léi Ēn Zhòng Ānhuī Shěng Huángshān Shì Huángshānqū Guān Pèi Lù 997 Hào Dà Liù Gōng Yuán (Yóuzhèng Biānmǎ：661566). Liánxì Diànhuà：20011720. Diànzǐ Yóuxiāng：xiebo@wuynjvrz.parks.cn

En Zhong Lei, Da Liu Park, 997 Guan Pei Road, Huangshan District, Huangshan, Anhui. Postal Code: 661566. Phone Number：20011720. E-mail：xiebo@wuynjvrz.parks.cn

1398。姓名: 孙院毅

住址（机场）：安徽省池州市贵池区豪王路 563 号池州祥强国际机场（邮政编码：728822）。联系电话：63263898。电子邮箱：gjevt@ujkieron.airports.cn

Zhù zhǐ: Sūn Yuàn Yì Ānhuī Shěng Chízhōu Shì Guì Chí Qū Háo Wáng Lù 563 Hào Cízōu Xiáng Qiáng Guó Jì Jī Chǎng (Yóuzhèng Biānmǎ：728822). Liánxì Diànhuà：63263898. Diànzǐ Yóuxiāng：gjevt@ujkieron.airports.cn

Yuan Yi Sun, Chizhou Xiang Qiang International Airport, 563 Hao Wang Road, Guichi District, Chizhou, Anhui. Postal Code: 728822. Phone Number：63263898. E-mail：gjevt@ujkieron.airports.cn

1399。姓名: 欧冠晖

住址（博物院）：安徽省马鞍山市花山区茂岐路 834 号马鞍山博物馆（邮政编码：551745）。联系电话：27849199。电子邮箱：zxpqf@ughqwfeb.museums.cn

Zhù zhǐ: Ōu Guàn Huī Ānhuī Shěng Mǎānshān Shì Huā Shānqū Mào Qí Lù 834 Hào Mǎānsān Bó Wù Guǎn (Yóuzhèng Biānmǎ：551745). Liánxì Diànhuà：27849199. Diànzǐ Yóuxiāng：zxpqf@ughqwfeb.museums.cn

Guan Hui Ou, Maanshan Museum, 834 Mao Qi Road, Huashan District, Maanshan, Anhui. Postal Code: 551745. Phone Number： 27849199. E-mail： zxpqf@ughqwfeb.museums.cn

1400。姓名: 公钢自

住址（医院）：安徽省亳州市涡阳县渊威路 379 号舟超医院（邮政编码：872066）。联系电话：36378638。电子邮箱：rqtxe@xtczpedk.health.cn

Zhù zhǐ: Gōng Gāng Zì Ānhuī Shěng Bózhōu Wō Yáng Xiàn Yuān Wēi Lù 379 Hào Zhōu Chāo Yī Yuàn (Yóuzhèng Biānmǎ： 872066). Liánxì Diànhuà： 36378638. Diànzǐ Yóuxiāng： rqtxe@xtczpedk.health.cn

Gang Zi Gong, Zhou Chao Hospital, 379 Yuan Wei Road, Guoyang County, Bozhou, Anhui. Postal Code: 872066. Phone Number： 36378638. E-mail： rqtxe@xtczpedk.health.cn

1401。姓名: 经大锡

住址（酒店）：安徽省合肥市长丰县振淹路 714 号源汉酒店（邮政编码：656624）。联系电话：72329122。电子邮箱：wzcvl@ulcfodyq.biz.cn

Zhù zhǐ: Jīng Dài Xī Ānhuī Shěng Héféi Shì Zhǎng Fēngxiàn Zhèn Yān Lù 714 Hào Yuán Hàn Jiǔ Diàn (Yóuzhèng Biānmǎ： 656624). Liánxì Diànhuà： 72329122. Diànzǐ Yóuxiāng： wzcvl@ulcfodyq.biz.cn

Dai Xi Jing, Yuan Han Hotel, 714 Zhen Yan Road, Changfeng County, Hefei, Anhui. Postal Code: 656624. Phone Number： 72329122. E-mail： wzcvl@ulcfodyq.biz.cn

1402。姓名: 白成郁

住址（大学）：安徽省铜陵市枞阳县轶译大学柱九路 641 号（邮政编码：772379）。联系电话：76677767。电子邮箱：kwlfi@iqwofmxz.edu.cn

Zhù zhǐ: Bái Chéng Yù Ānhuī Shěng Tónglíng Shì Cōng Yáng Xiàn Yì Yì DàxuéZhù Jiǔ Lù 641 Hào (Yóuzhèng Biānmǎ：772379). Liánxì Diànhuà：76677767. Diànzǐ Yóuxiāng：kwlfi@iqwofmxz.edu.cn

Cheng Yu Bai, Yi Yi University, 641 Zhu Jiu Road, Zongyang County, Tongling, Anhui. Postal Code: 772379. Phone Number：76677767. E-mail：kwlfi@iqwofmxz.edu.cn

1403。姓名: 贾舟来

住址（大学）：安徽省黄山市黟县珏柱大学水德路 602 号（邮政编码：916706）。联系电话：91940620。电子邮箱：tzogj@rcnutgkz.edu.cn

Zhù zhǐ: Jiǎ Zhōu Lái Ānhuī Shěng Huángshān Shì Yī Xiàn Jué Zhù DàxuéShuǐ Dé Lù 602 Hào (Yóuzhèng Biānmǎ：916706). Liánxì Diànhuà：91940620. Diànzǐ Yóuxiāng：tzogj@rcnutgkz.edu.cn

Zhou Lai Jia, Jue Zhu University, 602 Shui De Road, Yi County, Huangshan, Anhui. Postal Code: 916706. Phone Number：91940620. E-mail：tzogj@rcnutgkz.edu.cn

1404。姓名: 季游澜

住址（公司）：安徽省蚌埠市怀远县化院路 733 号辉食有限公司（邮政编码：775332）。联系电话：75936732。电子邮箱：lmgpb@zebxcfiy.biz.cn

Zhù zhǐ: Jì Yóu Lán Ānhuī Shěng Bàngbù Shì Huáiyuǎn Xiàn Huà Yuàn Lù 733 Hào Huī Sì Yǒuxiàn Gōngsī (Yóuzhèng Biānmǎ：775332). Liánxì Diànhuà：75936732. Diànzǐ Yóuxiāng：lmgpb@zebxcfiy.biz.cn

You Lan Ji, Hui Si Corporation, 733 Hua Yuan Road, Huaiyuan County, Bengbu, Anhui. Postal Code: 775332. Phone Number：75936732. E-mail：lmgpb@zebxcfiy.biz.cn

1405。姓名: 臧冕中

住址（医院）：安徽省宿州市灵璧县翼兵路 668 号伦禹医院（邮政编码：592125）。联系电话：31220616。电子邮箱：sbxvt@whikjlby.health.cn

Zhù zhǐ: Zāng Miǎn Zhòng Ānhuī Shěng Sùzhōu Shì Líng Bì Xiàn Yì Bīng Lù 668 Hào Lún Yǔ Yī Yuàn (Yóuzhèng Biānmǎ：592125). Liánxì Diànhuà：31220616. Diànzǐ Yóuxiāng：sbxvt@whikjlby.health.cn

Mian Zhong Zang, Lun Yu Hospital, 668 Yi Bing Road, Lingbi County, Suzhou, Anhui. Postal Code: 592125. Phone Number：31220616. E-mail: sbxvt@whikjlby.health.cn

1406。姓名: 况晗民

住址（火车站）：安徽省池州市青阳县钊领路 549 号池州站（邮政编码：340627）。联系电话：37715359。电子邮箱：nulgp@iwxadrpv.chr.cn

Zhù zhǐ: Kuàng Hán Mín Ānhuī Shěng Chízhōu Shì Qīng Yáng Xiàn Zhāo Lǐng Lù 549 Hào Cízōu Zhàn (Yóuzhèng Biānmǎ：340627). Liánxì Diànhuà：37715359. Diànzǐ Yóuxiāng：nulgp@iwxadrpv.chr.cn

Han Min Kuang, Chizhou Railway Station, 549 Zhao Ling Road, Qingyang County, Chizhou, Anhui. Postal Code: 340627. Phone Number：37715359. E-mail: nulgp@iwxadrpv.chr.cn

1407。姓名: 麻仲坡

住址（大学）：安徽省安庆市桐城市领振大学愈成路 757 号（邮政编码：168802）。联系电话：71463770。电子邮箱：itbwe@uvinymcd.edu.cn

Zhù zhǐ: Má Zhòng Pō Ānhuī Shěng Ānqìng Shì Tóngchéngshì Lǐng Zhèn DàxuéYù Chéng Lù 757 Hào (Yóuzhèng Biānmǎ：168802). Liánxì Diànhuà：71463770. Diànzǐ Yóuxiāng：itbwe@uvinymcd.edu.cn

Zhong Po Ma, Ling Zhen University, 757 Yu Cheng Road, Tongcheng, Anqing, Anhui. Postal Code: 168802. Phone Number：71463770. E-mail: itbwe@uvinymcd.edu.cn

1408。姓名: 房际盛

住址（湖泊）：安徽省六安市霍山县冠员路 890 号翼柱湖（邮政编码：665611）。联系电话：66540428。电子邮箱：sjyxe@kqnzfajo.lakes.cn

Zhù zhǐ: Fáng Jì Shèng Ānhuī Shěng Liù Ān Shì Huòshānxiàn Guān Yún Lù 890 Hào Yì Zhù Hú (Yóuzhèng Biānmǎ：665611). Liánxì Diànhuà：66540428. Diànzǐ Yóuxiāng：sjyxe@kqnzfajo.lakes.cn

Ji Sheng Fang, Yi Zhu Lake, 890 Guan Yun Road, Huoshan County, Luan, Anhui. Postal Code: 665611. Phone Number：66540428. E-mail：sjyxe@kqnzfajo.lakes.cn

1409。姓名: 宋全陶

住址（博物院）：安徽省马鞍山市和县茂超路 445 号马鞍山博物馆（邮政编码：692771）。联系电话：75735241。电子邮箱：ifbce@hdyifwqx.museums.cn

Zhù zhǐ: Sòng Quán Táo Ānhuī Shěng Mǎānshān Shì Hé Xiàn Mào Chāo Lù 445 Hào Mǎānsān Bó Wù Guǎn (Yóuzhèng Biānmǎ：692771). Liánxì Diànhuà：75735241. Diànzǐ Yóuxiāng：ifbce@hdyifwqx.museums.cn

Quan Tao Song, Maanshan Museum, 445 Mao Chao Road, And County, Maanshan, Anhui. Postal Code: 692771. Phone Number：75735241. E-mail：ifbce@hdyifwqx.museums.cn

1410。姓名: 景红隆

住址（寺庙）：安徽省六安市霍邱县王陶路 173 号进人寺（邮政编码：739699）。联系电话：33539002。电子邮箱：rkjiv@svncgwhl.god.cn

Zhù zhǐ: Jǐng Hóng Lóng Ānhuī Shěng Liù Ān Shì Huò Qiū Xiàn Wàng Táo Lù 173 Hào Jìn Rén Sì (Yóuzhèng Biānmǎ：739699). Liánxì Diànhuà：33539002. Diànzǐ Yóuxiāng：rkjiv@svncgwhl.god.cn

Hong Long Jing, Jin Ren Temple, 173 Wang Tao Road, Huoqiu County, Luan, Anhui.
Postal Code: 739699. Phone Number：33539002. E-mail：rkjiv@svncgwhl.god.cn

CHAPTER 3: NAME, SURNAME & ADDRESSES (61-90)

1411。姓名: 归稼坤

住址（火车站）：安徽省滁州市明光市山员路 202 号滁州站（邮政编码：901634）。联系电话：73681431。电子邮箱：evgaf@fwjqcemv.chr.cn

Zhù zhǐ: Guī Jià Kūn Ānhuī Shěng Chúzhōu Shì Míngguāng Shì Shān Yún Lù 202 Hào Cúzōu Zhàn (Yóuzhèng Biānmǎ：901634). Liánxì Diànhuà：73681431. Diànzǐ Yóuxiāng：evgaf@fwjqcemv.chr.cn

Jia Kun Gui, Chuzhou Railway Station, 202 Shan Yun Road, Mingguang City, Chuzhou, Anhui. Postal Code: 901634. Phone Number：73681431. E-mail：evgaf@fwjqcemv.chr.cn

1412。姓名: 萧王源

住址（医院）：安徽省亳州市谯城区友友路 310 号金土医院（邮政编码：207492）。联系电话：20177264。电子邮箱：wjiry@yelkmojn.health.cn

Zhù zhǐ: Xiāo Wáng Yuán Ānhuī Shěng Bózhōu Qiáo Chéngqū Yǒu Yǒu Lù 310 Hào Jīn Tǔ Yī Yuàn (Yóuzhèng Biānmǎ：207492). Liánxì Diànhuà：20177264. Diànzǐ Yóuxiāng：wjiry@yelkmojn.health.cn

Wang Yuan Xiao, Jin Tu Hospital, 310 You You Road, Qiaocheng District, Bozhou, Anhui. Postal Code: 207492. Phone Number：20177264. E-mail：wjiry@yelkmojn.health.cn

1413。姓名: 闫己尚

住址（大学）：安徽省池州市贵池区豹葆大学淹兆路 268 号（邮政编码：323838）。联系电话：89205607。电子邮箱：yqioe@inkuyghq.edu.cn

Zhù zhǐ: Yán Jǐ Shàng Ānhuī Shěng Chízhōu Shì Guì Chí Qū Bào Bǎo DàxuéYān Zhào Lù 268 Hào (Yóuzhèng Biānmǎ：323838). Liánxì Diànhuà：89205607. Diànzǐ Yóuxiāng：yqioe@inkuyghq.edu.cn

Ji Shang Yan, Bao Bao University, 268 Yan Zhao Road, Guichi District, Chizhou, Anhui. Postal Code: 323838. Phone Number：89205607. E-mail：yqioe@inkuyghq.edu.cn

1414。姓名: 濮阳风易

住址（广场）：安徽省池州市石台县山星路 521 号化超广场（邮政编码：802122）。联系电话：77539110。电子邮箱：vjumy@fdnjsyce.squares.cn

Zhù zhǐ: Púyáng Fēng Yì Ānhuī Shěng Chízhōu Shì Shí Tái Xiàn Shān Xīng Lù 521 Hào Huā Chāo Guǎng Chǎng (Yóuzhèng Biānmǎ：802122). Liánxì Diànhuà：77539110. Diànzǐ Yóuxiāng：vjumy@fdnjsyce.squares.cn

Feng Yi Puyang, Hua Chao Square, 521 Shan Xing Road, Shitai County, Chizhou, Anhui. Postal Code: 802122. Phone Number：77539110. E-mail：vjumy@fdnjsyce.squares.cn

1415。姓名: 皮山愈

住址（公共汽车站）：安徽省淮南市寿县伦土路 197 号辙领站（邮政编码：628614）。联系电话：94314475。电子邮箱：nalwu@glbcsfyt.transport.cn

Zhù zhǐ: Pí Shān Yù Ānhuī Shěng Huáinán Shì Shòu Xiàn Lún Tǔ Lù 197 Hào Zhé Lǐng Zhàn (Yóuzhèng Biānmǎ：628614). Liánxì Diànhuà：94314475. Diànzǐ Yóuxiāng：nalwu@glbcsfyt.transport.cn

Shan Yu Pi, Zhe Ling Bus Station, 197 Lun Tu Road, Shou County, Huainan, Anhui. Postal Code: 628614. Phone Number：94314475. E-mail：nalwu@glbcsfyt.transport.cn

1416。姓名: 宣征懂

住址（家庭）：安徽省淮南市谢家集区世铁路 890 号山独公寓 30 层 396 室（邮政编码：254034）。联系电话：82004524。电子邮箱：kfcqr@myevanku.cn

Zhù zhǐ: Xuān Zhēng Dǒng Ānhuī Shěng Huáinán Shì Xiè Jiā Jí Qū Shì Tiě Lù 890 Hào Shān Dú Gōng Yù 30 Céng 396 Shì (Yóuzhèng Biānmǎ： 254034). Liánxì Diànhuà： 82004524. Diànzǐ Yóuxiāng： kfcqr@myevanku.cn

Zheng Dong Xuan, Room# 396, Floor# 30, Shan Du Apartment, 890 Shi Tie Road, Xiejiaji District, Huainan, Anhui. Postal Code: 254034. Phone Number： 82004524. E-mail： kfcqr@myevanku.cn

1417。姓名: 孙辙晖

住址（广场）：安徽省池州市东至县成仓路 984 号超大广场（邮政编码：365437）。联系电话：63108291。电子邮箱：ebmio@bahykpoi.squares.cn

Zhù zhǐ: Sūn Zhé Huī Ānhuī Shěng Chízhōu Shì Dōng Zhì Xiàn Chéng Cāng Lù 984 Hào Chāo Dà Guǎng Chǎng (Yóuzhèng Biānmǎ： 365437). Liánxì Diànhuà： 63108291. Diànzǐ Yóuxiāng： ebmio@bahykpoi.squares.cn

Zhe Hui Sun, Chao Da Square, 984 Cheng Cang Road, Dongzhi County, Chizhou, Anhui. Postal Code: 365437. Phone Number： 63108291. E-mail： ebmio@bahykpoi.squares.cn

1418。姓名: 钭磊翰

住址（广场）：安徽省亳州市谯城区祥铁路 418 号珏稼广场（邮政编码：658183）。联系电话：94375937。电子邮箱：xjvnh@mysrqcao.squares.cn

Zhù zhǐ: Tǒu Lěi Hàn Ānhuī Shěng Bózhōu Qiáo Chéngqū Xiáng Yì Lù 418 Hào Jué Jià Guǎng Chǎng (Yóuzhèng Biānmǎ： 658183). Liánxì Diànhuà： 94375937. Diànzǐ Yóuxiāng： xjvnh@mysrqcao.squares.cn

Lei Han Tou, Jue Jia Square, 418 Xiang Yi Road, Qiaocheng District, Bozhou, Anhui. Postal Code: 658183. Phone Number： 94375937. E-mail： xjvnh@mysrqcao.squares.cn

1419。姓名: 庄水彬

住址（广场）：安徽省蚌埠市固镇县辙乐路 367 号泽不广场（邮政编码：148416）。联系电话：95348365。电子邮箱：kvyup@zajyhwvk.squares.cn

Zhù zhǐ: Zhuāng Shuǐ Bīn Ānhuī Shěng Bàngbù Shì Gù Zhèn Xiàn Zhé Lè Lù 367 Hào Zé Bù Guǎng Chǎng (Yóuzhèng Biānmǎ: 148416). Liánxì Diànhuà: 95348365. Diànzǐ Yóuxiāng: kvyup@zajyhwvk.squares.cn

Shui Bin Zhuang, Ze Bu Square, 367 Zhe Le Road, Guzhen County, Bengbu, Anhui. Postal Code: 148416. Phone Number: 95348365. E-mail: kvyup@zajyhwvk.squares.cn

1420。姓名: 戎铁光

住址（机场）：安徽省宿州市埇桥区豪渊路 755 号宿州铭圣国际机场（邮政编码：546906）。联系电话：43564099。电子邮箱：xvnyg@isxhouzg.airports.cn

Zhù zhǐ: Róng Tiě Guāng Ānhuī Shěng Sùzhōu Shì Yǒng Qiáo Qū Háo Yuān Lù 755 Hào ùzōu Míng Shèng Guó Jì Jī Chǎng (Yóuzhèng Biānmǎ: 546906). Liánxì Diànhuà: 43564099. Diànzǐ Yóuxiāng: xvnyg@isxhouzg.airports.cn

Tie Guang Rong, Suzhou Ming Sheng International Airport, 755 Hao Yuan Road, Yongqiao District, Suzhou, Anhui. Postal Code: 546906. Phone Number: 43564099. E-mail: xvnyg@isxhouzg.airports.cn

1421。姓名: 荆化计

住址（酒店）：安徽省六安市霍邱县易彬路 621 号楚计酒店（邮政编码：126014）。联系电话：98426427。电子邮箱：eqfwv@orlcxshw.biz.cn

Zhù zhǐ: Jīng Huā Jì Ānhuī Shěng Liù Ān Shì Huò Qiū Xiàn Yì Bīn Lù 621 Hào Chǔ Jì Jiǔ Diàn (Yóuzhèng Biānmǎ: 126014). Liánxì Diànhuà: 98426427. Diànzǐ Yóuxiāng: eqfwv@orlcxshw.biz.cn

Hua Ji Jing, Chu Ji Hotel, 621 Yi Bin Road, Huoqiu County, Luan, Anhui. Postal Code: 126014. Phone Number: 98426427. E-mail: eqfwv@orlcxshw.biz.cn

1422。姓名: 家钊己

住址（家庭）：安徽省蚌埠市蚌山区民亮路 678 号澜圣公寓 10 层 720 室（邮政编码：253453）。联系电话：73586018。电子邮箱：bveiz@sdeynhrl.cn

Zhù zhǐ: Jiā Zhāo Jǐ Ānhuī Shěng Bàngbù Shì Bàng Shānqū Mín Liàng Lù 678 Hào Lán Shèng Gōng Yù 10 Céng 720 Shì (Yóuzhèng Biānmǎ：253453). Liánxì Diànhuà：73586018. Diànzǐ Yóuxiāng：bveiz@sdeynhrl.cn

Zhao Ji Jia, Room# 720, Floor# 10, Lan Sheng Apartment, 678 Min Liang Road, Bangshan District, Bengbu, Anhui. Postal Code: 253453. Phone Number：73586018. E-mail：bveiz@sdeynhrl.cn

1423。姓名: 长孙国星

住址（博物院）：安徽省淮南市潘集区隆智路 842 号淮南博物馆（邮政编码：209354）。联系电话：65180074。电子邮箱：fgtpm@kowqunbl.museums.cn

Zhù zhǐ: Zhǎngsūn Guó Xīng Ānhuī Shěng Huáinán Shì Pānjí Qū Lóng Zhì Lù 842 Hào Huáinán Bó Wù Guǎn (Yóuzhèng Biānmǎ：209354). Liánxì Diànhuà：65180074. Diànzǐ Yóuxiāng：fgtpm@kowqunbl.museums.cn

Guo Xing Zhangsun, Huainan Museum, 842 Long Zhi Road, Panji District, Huainan, Anhui. Postal Code: 209354. Phone Number：65180074. E-mail：fgtpm@kowqunbl.museums.cn

1424。姓名: 程洵彬

住址（公园）：安徽省蚌埠市五河县原迅路 961 号金顺公园（邮政编码：849743）。联系电话：15590280。电子邮箱：vbrhx@xfzdgnwl.parks.cn

Zhù zhǐ: Chéng Xún Bīn Ānhuī Shěng Bàngbù Shì Wǔ Hé Xiàn Yuán Xùn Lù 961 Hào Jīn Shùn Gōng Yuán (Yóuzhèng Biānmǎ：849743). Liánxì Diànhuà：15590280. Diànzǐ Yóuxiāng：vbrhx@xfzdgnwl.parks.cn

Xun Bin Cheng, Jin Shun Park, 961 Yuan Xun Road, Wuhe County, Bengbu, Anhui. Postal Code: 849743. Phone Number：15590280. E-mail：vbrhx@xfzdgnwl.parks.cn

1425。姓名: 左丘陆珂

住址（公司）：安徽省芜湖市湾沚区辙甫路 263 号祥臻有限公司（邮政编码：242514）。联系电话：31054387。电子邮箱：cxhvz@whnrpgjy.biz.cn

Zhù zhǐ: Zuǒqiū Lù Kē Ānhuī Shěng Wúhú Shì Wān Zhǐ Qū Zhé Fǔ Lù 263 Hào Xiáng Zhēn Yǒuxiàn Gōngsī (Yóuzhèng Biānmǎ：242514). Liánxì Diànhuà：31054387. Diànzǐ Yóuxiāng：cxhvz@whnrpgjy.biz.cn

Lu Ke Zuoqiu, Xiang Zhen Corporation, 263 Zhe Fu Road, Bay Area, Wuhu, Anhui. Postal Code: 242514. Phone Number：31054387. E-mail：cxhvz@whnrpgjy.biz.cn

1426。姓名: 索坡顺

住址（寺庙）：安徽省合肥市蜀山区石乐路 116 号征水寺（邮政编码：396591）。联系电话：69123830。电子邮箱：xjfzw@qrkziflu.god.cn

Zhù zhǐ: Suǒ Pō Shùn Ānhuī Shěng Héféi Shì Shǔshānqū Dàn Lè Lù 116 Hào Zhēng Shuǐ Sì (Yóuzhèng Biānmǎ：396591). Liánxì Diànhuà：69123830. Diànzǐ Yóuxiāng：xjfzw@qrkziflu.god.cn

Po Shun Suo, Zheng Shui Temple, 116 Dan Le Road, Shushan District, Hefei, Anhui. Postal Code: 396591. Phone Number：69123830. E-mail：xjfzw@qrkziflu.god.cn

1427。姓名: 牛陆石

住址（公共汽车站）：安徽省安庆市宿松县顺迅路 204 号游译站（邮政编码：480371）。联系电话：64271566。电子邮箱：pgtsm@tvsrnbeq.transport.cn

Zhù zhǐ: Niú Liù Dàn Ānhuī Shěng Ānqìng Shì Sù Sōng Xiàn Shùn Xùn Lù 204 Hào Yóu Yì Zhàn (Yóuzhèng Biānmǎ：480371). Liánxì Diànhuà：64271566. Diànzǐ Yóuxiāng：pgtsm@tvsrnbeq.transport.cn

Liu Dan Niu, You Yi Bus Station, 204 Shun Xun Road, Susong County, Anqing, Anhui. Postal Code: 480371. Phone Number：64271566. E-mail：pgtsm@tvsrnbeq.transport.cn

1428。姓名: 童民守

住址（公园）：安徽省宿州市萧县泽冠路 404 号咚勇公园（邮政编码：127351）。联系电话：28550030。电子邮箱：ljyzp@cdixwspl.parks.cn

Zhù zhǐ: Tóng Mín Shǒu Ānhuī Shěng Sùzhōu Shì Xiāo Xiàn Zé Guàn Lù 404 Hào Dōng Yǒng Gōng Yuán (Yóuzhèng Biānmǎ：127351). Liánxì Diànhuà：28550030. Diànzǐ Yóuxiāng：ljyzp@cdixwspl.parks.cn

Min Shou Tong, Dong Yong Park, 404 Ze Guan Road, Xiao County, Suzhou, Anhui. Postal Code: 127351. Phone Number：28550030. E-mail：ljyzp@cdixwspl.parks.cn

1429。姓名: 胥先维

住址（大学）：安徽省亳州市谯城区珂亭大学冠宝路 275 号（邮政编码：231679）。联系电话：32298901。电子邮箱：nuzwp@iaxvgksn.edu.cn

Zhù zhǐ: Xū Xiān Wéi Ānhuī Shěng Bózhōu Qiáo Chéngqū Kē Tíng DàxuéGuān Bǎo Lù 275 Hào (Yóuzhèng Biānmǎ：231679). Liánxì Diànhuà：32298901. Diànzǐ Yóuxiāng：nuzwp@iaxvgksn.edu.cn

Xian Wei Xu, Ke Ting University, 275 Guan Bao Road, Qiaocheng District, Bozhou, Anhui. Postal Code: 231679. Phone Number：32298901. E-mail：nuzwp@iaxvgksn.edu.cn

1430。姓名: 法院大

住址（寺庙）：安徽省宣城市泾县中鹤路 653 号汉屹寺（邮政编码：846491）。联系电话：41077156。电子邮箱：jqhwi@unmkbvce.god.cn

Zhù zhǐ: Fǎ Yuàn Dà Ānhuī Shěng Xuān Chéngshì Jīng Xiàn Zhōng Hè Lù 653 Hào Hàn Yì Sì (Yóuzhèng Biānmǎ：846491). Liánxì Diànhuà：41077156. Diànzǐ Yóuxiāng：jqhwi@unmkbvce.god.cn

Yuan Da Fa, Han Yi Temple, 653 Zhong He Road, Jing County, Xuancheng, Anhui. Postal Code: 846491. Phone Number：41077156. E-mail：jqhwi@unmkbvce.god.cn

1431。姓名: 危红立

住址（博物院）：安徽省宣城市郎溪县汉源路 479 号宣城博物馆（邮政编码：582464）。联系电话：14383340。电子邮箱：tbsve@ryxptfio.museums.cn

Zhù zhǐ: Wēi Hóng Lì Ānhuī Shěng Xuān Chéngshì Láng Xī Xiàn Hàn Yuán Lù 479 Hào Xuān Céngs Bó Wù Guǎn (Yóuzhèng Biānmǎ：582464). Liánxì Diànhuà：14383340. Diànzǐ Yóuxiāng：tbsve@ryxptfio.museums.cn

Hong Li Wei, Xuancheng Museum, 479 Han Yuan Road, Langxi County, Xuancheng, Anhui. Postal Code: 582464. Phone Number：14383340. E-mail：tbsve@ryxptfio.museums.cn

1432。姓名: 洪智禹

住址（寺庙）：安徽省池州市石台县人已路 946 号胜世寺（邮政编码：198867）。联系电话：13351100。电子邮箱：yevhw@xpkovmfb.god.cn

Zhù zhǐ: Hóng Zhì Yǔ Ānhuī Shěng Chízhōu Shì Shí Tái Xiàn Rén Jǐ Lù 946 Hào Shēng Shì Sì (Yóuzhèng Biānmǎ：198867). Liánxì Diànhuà：13351100. Diànzǐ Yóuxiāng：yevhw@xpkovmfb.god.cn

Zhi Yu Hong, Sheng Shi Temple, 946 Ren Ji Road, Shitai County, Chizhou, Anhui. Postal Code: 198867. Phone Number：13351100. E-mail：yevhw@xpkovmfb.god.cn

1433。姓名: 颛孙锤铁

住址（寺庙）：安徽省亳州市涡阳县冕强路 285 号盛译寺（邮政编码：812898）。联系电话：75916288。电子邮箱：yjzur@xiqbvsfz.god.cn

Zhù zhǐ: Zhuānsūn Chuí Fū Ānhuī Shěng Bózhōu Wō Yáng Xiàn Miǎn Qiáng Lù 285 Hào Shèng Yì Sì (Yóuzhèng Biānmǎ：812898). Liánxì Diànhuà：75916288. Diànzǐ Yóuxiāng：yjzur@xiqbvsfz.god.cn

Chui Fu Zhuansun, Sheng Yi Temple, 285 Mian Qiang Road, Guoyang County, Bozhou, Anhui. Postal Code: 812898. Phone Number：75916288. E-mail：yjzur@xiqbvsfz.god.cn

1434。姓名: 赏领启

住址（公园）：安徽省马鞍山市当涂县进腾路 426 号恩学公园（邮政编码：476177）。联系电话：96409503。电子邮箱：huqyo@dwfqxlja.parks.cn

Zhù zhǐ: Shǎng Lǐng Qǐ Ānhuī Shěng Mǎānshān Shì Dāng Tú Xiàn Jìn Téng Lù 426 Hào Ēn Xué Gōng Yuán (Yóuzhèng Biānmǎ：476177). Liánxì Diànhuà：96409503. Diànzǐ Yóuxiāng：huqyo@dwfqxlja.parks.cn

Ling Qi Shang, En Xue Park, 426 Jin Teng Road, Dangtu County, Maanshan, Anhui. Postal Code: 476177. Phone Number：96409503. E-mail：huqyo@dwfqxlja.parks.cn

1435。姓名: 壤驷臻南

住址（医院）：安徽省阜阳市界首市独食路 465 号沛铭医院（邮政编码：874244）。联系电话：32251343。电子邮箱：ewzpt@lbygumjd.health.cn

Zhù zhǐ: Rǎngsì Zhēn Nán Ānhuī Shěng Fùyáng Shì Jiè Shǒu Shì Dú Yì Lù 465 Hào Bèi Míng Yī Yuàn (Yóuzhèng Biānmǎ：874244). Liánxì Diànhuà：32251343. Diànzǐ Yóuxiāng：ewzpt@lbygumjd.health.cn

Zhen Nan Rangsi, Bei Ming Hospital, 465 Du Yi Road, Jieshou City, Fuyang, Anhui. Postal Code: 874244. Phone Number：32251343. E-mail：ewzpt@lbygumjd.health.cn

1436。姓名: 惠仲源

住址（广场）：安徽省铜陵市铜官区源锤路 962 号仓石广场（邮政编码：972175）。联系电话：12162609。电子邮箱：azghx@cysjmkat.squares.cn

Zhù zhǐ: Huì Zhòng Yuán Ānhuī Shěng Tónglíng Shì Tóng Guān Qū Yuán Chuí Lù 962 Hào Cāng Dàn Guǎng Chǎng (Yóuzhèng Biānmǎ：972175). Liánxì Diànhuà：12162609. Diànzǐ Yóuxiāng：azghx@cysjmkat.squares.cn

Zhong Yuan Hui, Cang Dan Square, 962 Yuan Chui Road, Tongguan District, Tongling, Anhui. Postal Code: 972175. Phone Number：12162609. E-mail：azghx@cysjmkat.squares.cn

1437。姓名: 司马汉独

住址（博物院）：安徽省马鞍山市雨山区咚愈路 550 号马鞍山博物馆（邮政编码：670748）。联系电话：52186177。电子邮箱：mtuea@cjqlhsbd.museums.cn

Zhù zhǐ: Sīmǎ Hàn Dú Ānhuī Shěng Mǎānshān Shì Yǔ Shānqū Dōng Yù Lù 550 Hào Mǎānsān Bó Wù Guǎn (Yóuzhèng Biānmǎ：670748). Liánxì Diànhuà：52186177. Diànzǐ Yóuxiāng：mtuea@cjqlhsbd.museums.cn

Han Du Sima, Maanshan Museum, 550 Dong Yu Road, Rainy Mountain Area, Maanshan, Anhui. Postal Code: 670748. Phone Number：52186177. E-mail：mtuea@cjqlhsbd.museums.cn

1438。姓名: 伯昌黎

住址（公园）：安徽省淮北市烈山区可德路 202 号其食公园（邮政编码：655497）。联系电话：31161287。电子邮箱：oztyc@mtzrhfdk.parks.cn

Zhù zhǐ: Bó Chāng Lí Ānhuī Shěng Huáiběi Shì Liè Shānqū Kě Dé Lù 202 Hào Qí Sì Gōng Yuán (Yóuzhèng Biānmǎ：655497). Liánxì Diànhuà：31161287. Diànzǐ Yóuxiāng：oztyc@mtzrhfdk.parks.cn

Chang Li Bo, Qi Si Park, 202 Ke De Road, Lieshan District, Huaibei, Anhui. Postal Code: 655497. Phone Number：31161287. E-mail：oztyc@mtzrhfdk.parks.cn

1439。姓名: 元水桥

住址（家庭）：安徽省淮南市潘集区王游路 214 号九先公寓 13 层 989 室（邮政编码：255748）。联系电话：95271025。电子邮箱：kmnwl@fhsbgpzo.cn

Zhù zhǐ: Yuán Shuǐ Qiáo Ānhuī Shěng Huáinán Shì Pānjí Qū Wàng Yóu Lù 214 Hào Jiǔ Xiān Gōng Yù 13 Céng 989 Shì (Yóuzhèng Biānmǎ：255748). Liánxì Diànhuà：95271025. Diànzǐ Yóuxiāng：kmnwl@fhsbgpzo.cn

Shui Qiao Yuan, Room# 989, Floor# 13, Jiu Xian Apartment, 214 Wang You Road, Panji District, Huainan, Anhui. Postal Code: 255748. Phone Number：95271025. E-mail：kmnwl@fhsbgpzo.cn

1440。姓名: 熊其绅

住址（博物院）：安徽省蚌埠市固镇县惟员路 802 号蚌埠博物馆（邮政编码：213515）。联系电话：97721154。电子邮箱：bdclz@jokvzqis.museums.cn

Zhù zhǐ: Xióng Qí Shēn Ānhuī Shěng Bàngbù Shì Gù Zhèn Xiàn Wéi Yuán Lù 802 Hào Bàngbù Bó Wù Guǎn (Yóuzhèng Biānmǎ：213515). Liánxì Diànhuà：97721154. Diànzǐ Yóuxiāng：bdclz@jokvzqis.museums.cn

Qi Shen Xiong, Bengbu Museum, 802 Wei Yuan Road, Guzhen County, Bengbu, Anhui. Postal Code: 213515. Phone Number：97721154. E-mail：bdclz@jokvzqis.museums.cn

CHAPTER 4: NAME, SURNAME & ADDRESSES (91-120)

1441。姓名: 裘食宽

住址（机场）：安徽省阜阳市临泉县进译路 534 号阜阳国磊国际机场（邮政编码：463528）。联系电话：36004565。电子邮箱：yxrds@xdutlenb.airports.cn

Zhù zhǐ: Qiú Sì Kuān Ānhuī Shěng Fùyáng Shì Lín Quán Xiàn Jìn Yì Lù 534 Hào Fùyáng Guó Lěi Guó Jì Jī Chǎng (Yóuzhèng Biānmǎ：463528). Liánxì Diànhuà：36004565. Diànzǐ Yóuxiāng：yxrds@xdutlenb.airports.cn

Si Kuan Qiu, Fuyang Guo Lei International Airport, 534 Jin Yi Road, Linquan County, Fuyang, Anhui. Postal Code: 463528. Phone Number：36004565. E-mail：yxrds@xdutlenb.airports.cn

1442。姓名: 百里民洵

住址（机场）：安徽省六安市金寨县陆钊路 396 号六安岐土国际机场（邮政编码：239799）。联系电话：64256948。电子邮箱：fgshw@jfovdprc.airports.cn

Zhù zhǐ: Bǎilǐ Mín Xún Ānhuī Shěng Liù Ān Shì Jīn Zhài Xiàn Liù Zhāo Lù 396 Hào Liù Ān Qí Tǔ Guó Jì Jī Chǎng (Yóuzhèng Biānmǎ：239799). Liánxì Diànhuà：64256948. Diànzǐ Yóuxiāng：fgshw@jfovdprc.airports.cn

Min Xun Baili, Luan Qi Tu International Airport, 396 Liu Zhao Road, Jinzhai County, Luan, Anhui. Postal Code: 239799. Phone Number：64256948. E-mail：fgshw@jfovdprc.airports.cn

1443。姓名: 卓可涛

住址（寺庙）：安徽省亳州市蒙城县白葆路 727 号德原寺（邮政编码：413702）。联系电话：58299726。电子邮箱：ofyej@vogwzmip.god.cn

Zhù zhǐ: Zhuó Kě Tāo Ānhuī Shěng Bózhōu Méng Chéng Xiàn Bái Bǎo Lù 727 Hào Dé Yuán Sì (Yóuzhèng Biānmǎ：413702). Liánxì Diànhuà：58299726. Diànzǐ Yóuxiāng：ofyej@vogwzmip.god.cn

Ke Tao Zhuo, De Yuan Temple, 727 Bai Bao Road, Mengcheng County, Bozhou, Anhui. Postal Code: 413702. Phone Number：58299726. E-mail：ofyej@vogwzmip.god.cn

1444。姓名: 端木铁国

住址（公共汽车站）：安徽省滁州市来安县楚铁路 645 号泽土站（邮政编码：329690）。联系电话：60988312。电子邮箱：etpgw@xzhfwrcb.transport.cn

Zhù zhǐ: Duānmù Fū Guó Ānhuī Shěng Chúzhōu Shì Lái Ānxiàn Chǔ Yì Lù 645 Hào Zé Tǔ Zhàn (Yóuzhèng Biānmǎ：329690). Liánxì Diànhuà：60988312. Diànzǐ Yóuxiāng：etpgw@xzhfwrcb.transport.cn

Fu Guo Duanmu, Ze Tu Bus Station, 645 Chu Yi Road, Laian County, Chuzhou, Anhui. Postal Code: 329690. Phone Number：60988312. E-mail：etpgw@xzhfwrcb.transport.cn

1445。姓名: 秋翼顺

住址（公共汽车站）：安徽省淮南市大通区科民路 867 号星中站（邮政编码：131119）。联系电话：15195736。电子邮箱：zuhfc@nagbsuvr.transport.cn

Zhù zhǐ: Qiū Yì Shùn Ānhuī Shěng Huáinán Shì Dàtōng Qū Kē Mín Lù 867 Hào Xīng Zhōng Zhàn (Yóuzhèng Biānmǎ：131119). Liánxì Diànhuà：15195736. Diànzǐ Yóuxiāng：zuhfc@nagbsuvr.transport.cn

Yi Shun Qiu, Xing Zhong Bus Station, 867 Ke Min Road, Datong District, Huainan, Anhui. Postal Code: 131119. Phone Number：15195736. E-mail：zuhfc@nagbsuvr.transport.cn

1446。姓名: 邱刚铁

住址（博物院）：安徽省亳州市涡阳县源秀路 648 号亳州博物馆（邮政编码：441248）。联系电话：85746337。电子邮箱：zrtok@tunwcvfq.museums.cn

Zhù zhǐ: Qiū Gāng Fū Ānhuī Shěng Bózhōu Wō Yáng Xiàn Yuán Xiù Lù 648 Hào Bózōu Bó Wù Guǎn (Yóuzhèng Biānmǎ：441248). Liánxì Diànhuà：85746337. Diànzǐ Yóuxiāng：zrtok@tunwcvfq.museums.cn

Gang Fu Qiu, Bozhou Museum, 648 Yuan Xiu Road, Guoyang County, Bozhou, Anhui. Postal Code: 441248. Phone Number：85746337. E-mail：zrtok@tunwcvfq.museums.cn

1447。姓名: 有绅强

住址（寺庙）：安徽省池州市东至县已臻路 905 号易兆寺（邮政编码：368470）。联系电话：54252349。电子邮箱：uipsv@gbjdnoyf.god.cn

Zhù zhǐ: Yǒu Shēn Qiáng Ānhuī Shěng Chízhōu Shì Dōng Zhì Xiàn Jǐ Zhēn Lù 905 Hào Yì Zhào Sì (Yóuzhèng Biānmǎ：368470). Liánxì Diànhuà：54252349. Diànzǐ Yóuxiāng：uipsv@gbjdnoyf.god.cn

Shen Qiang You, Yi Zhao Temple, 905 Ji Zhen Road, Dongzhi County, Chizhou, Anhui. Postal Code: 368470. Phone Number：54252349. E-mail：uipsv@gbjdnoyf.god.cn

1448。姓名: 管振陶

住址（寺庙）：安徽省淮南市谢家集区俊风路 461 号岐盛寺（邮政编码：560652）。联系电话：60850689。电子邮箱：xolzm@ihevtbrl.god.cn

Zhù zhǐ: Guǎn Zhèn Táo Ānhuī Shěng Huáinán Shì Xiè Jiā Jí Qū Jùn Fēng Lù 461 Hào Qí Shèng Sì (Yóuzhèng Biānmǎ：560652). Liánxì Diànhuà：60850689. Diànzǐ Yóuxiāng：xolzm@ihevtbrl.god.cn

Zhen Tao Guan, Qi Sheng Temple, 461 Jun Feng Road, Xiejiaji District, Huainan, Anhui. Postal Code: 560652. Phone Number：60850689. E-mail：xolzm@ihevtbrl.god.cn

1449。姓名: 诸葛汉奎

住址（公园）：安徽省安庆市桐城市豹骥路 784 号焯烔公园（邮政编码：555625）。联系电话：60616995。电子邮箱：oizfx@iwctolgd.parks.cn

Zhù zhǐ: Zhūgě Hàn Kuí Ānhuī Shěng Ānqìng Shì Tóngchéngshì Bào Jì Lù 784 Hào Chāo Jiǒng Gōng Yuán (Yóuzhèng Biānmǎ: 555625). Liánxì Diànhuà: 60616995. Diànzǐ Yóuxiāng: oizfx@iwctolgd.parks.cn

Han Kui Zhuge, Chao Jiong Park, 784 Bao Ji Road, Tongcheng, Anqing, Anhui. Postal Code: 555625. Phone Number: 60616995. E-mail: oizfx@iwctolgd.parks.cn

1450。姓名: 岑涛柱

住址（酒店）：安徽省安庆市岳西县山焯路 341 号员白酒店（邮政编码：764449）。联系电话：95651197。电子邮箱：tdpbw@frqwnaxv.biz.cn

Zhù zhǐ: Cén Tāo Zhù Ānhuī Shěng Ānqìng Shì Yuè Xī Xiàn Shān Chāo Lù 341 Hào Yuán Bái Jiǔ Diàn (Yóuzhèng Biānmǎ: 764449). Liánxì Diànhuà: 95651197. Diànzǐ Yóuxiāng: tdpbw@frqwnaxv.biz.cn

Tao Zhu Cen, Yuan Bai Hotel, 341 Shan Chao Road, Yuexi County, Anqing, Anhui. Postal Code: 764449. Phone Number: 95651197. E-mail: tdpbw@frqwnaxv.biz.cn

1451。姓名: 海人领

住址（公司）：安徽省淮北市相山区愈友路 312 号院冠有限公司（邮政编码：681837）。联系电话：13769010。电子邮箱：qzihg@lxjebvzi.biz.cn

Zhù zhǐ: Hǎi Rén Lǐng Ānhuī Shěng Huáiběi Shì Xiāng Shānqū Yù Yǒu Lù 312 Hào Yuàn Guàn Yǒuxiàn Gōngsī (Yóuzhèng Biānmǎ: 681837). Liánxì Diànhuà: 13769010. Diànzǐ Yóuxiāng: qzihg@lxjebvzi.biz.cn

Ren Ling Hai, Yuan Guan Corporation, 312 Yu You Road, Xiangshan District, Huaibei, Anhui. Postal Code: 681837. Phone Number： 13769010. E-mail： qzihg@lxjebvzi.biz.cn

1452。姓名: 东门勇敬

住址（机场）：安徽省淮北市杜集区化阳路 687 号淮北冕其国际机场（邮政编码：767138）。联系电话：26555903。电子邮箱：dvapt@vmsoncae.airports.cn

Zhù zhǐ: Dōngmén Yǒng Jìng Ānhuī Shěng Huáiběi Shì Dù Jí Qū Huā Yáng Lù 687 Hào Huáiběi Miǎn Qí Guó Jì Jī Chǎng (Yóuzhèng Biānmǎ： 767138). Liánxì Diànhuà： 26555903. Diànzǐ Yóuxiāng： dvapt@vmsoncae.airports.cn

Yong Jing Dongmen, Huaibei Mian Qi International Airport, 687 Hua Yang Road, Duji District, Huaibei, Anhui. Postal Code: 767138. Phone Number： 26555903. E-mail： dvapt@vmsoncae.airports.cn

1453。姓名: 桓鹤葛

住址（博物院）：安徽省滁州市南谯区光兆路 826 号滁州博物馆（邮政编码：452661）。联系电话：36044911。电子邮箱：ofvrq@lbntwqge.museums.cn

Zhù zhǐ: Huán Hè Gé Ānhuī Shěng Chúzhōu Shì Nán Qiáo Qū Guāng Zhào Lù 826 Hào Cúzōu Bó Wù Guǎn (Yóuzhèng Biānmǎ： 452661). Liánxì Diànhuà： 36044911. Diànzǐ Yóuxiāng： ofvrq@lbntwqge.museums.cn

He Ge Huan, Chuzhou Museum, 826 Guang Zhao Road, Nanqiao District, Chuzhou, Anhui. Postal Code: 452661. Phone Number： 36044911. E-mail： ofvrq@lbntwqge.museums.cn

1454。姓名: 权学九

住址（博物院）：安徽省亳州市蒙城县启员路 418 号亳州博物馆（邮政编码：910523）。联系电话：13964885。电子邮箱：vaqnw@vnxmwref.museums.cn

Zhù zhǐ: Quán Xué Jiǔ Ānhuī Shěng Bózhōu Méng Chéng Xiàn Qǐ Yún Lù 418 Hào Bózōu Bó Wù Guǎn (Yóuzhèng Biānmǎ：910523). Liánxì Diànhuà：13964885. Diànzǐ Yóuxiāng：vaqnw@vnxmwref.museums.cn

Xue Jiu Quan, Bozhou Museum, 418 Qi Yun Road, Mengcheng County, Bozhou, Anhui. Postal Code: 910523. Phone Number：13964885. E-mail：vaqnw@vnxmwref.museums.cn

1455。姓名: 秋友石

住址（寺庙）：安徽省阜阳市界首市帆南路 909 号晗计寺（邮政编码：409613）。联系电话：95005032。电子邮箱：ebpkf@zrqsanuc.god.cn

Zhù zhǐ: Qiū Yǒu Dàn Ānhuī Shěng Fùyáng Shì Jiè Shǒu Shì Fān Nán Lù 909 Hào Hán Jì Sì (Yóuzhèng Biānmǎ：409613). Liánxì Diànhuà：95005032. Diànzǐ Yóuxiāng：ebpkf@zrqsanuc.god.cn

You Dan Qiu, Han Ji Temple, 909 Fan Nan Road, Jieshou City, Fuyang, Anhui. Postal Code: 409613. Phone Number：95005032. E-mail：ebpkf@zrqsanuc.god.cn

1456。姓名: 井智继

住址（公共汽车站）：安徽省滁州市天长市大豹路 350 号亚屹站（邮政编码：991742）。联系电话：32646607。电子邮箱：xkdbh@aphbifgk.transport.cn

Zhù zhǐ: Jǐng Zhì Jì Ānhuī Shěng Chúzhōu Shì Tiāncháng Shì Dài Bào Lù 350 Hào Yà Yì Zhàn (Yóuzhèng Biānmǎ：991742). Liánxì Diànhuà：32646607. Diànzǐ Yóuxiāng：xkdbh@aphbifgk.transport.cn

Zhi Ji Jing, Ya Yi Bus Station, 350 Dai Bao Road, Tianchang City, Chuzhou, Anhui. Postal Code: 991742. Phone Number：32646607. E-mail：xkdbh@aphbifgk.transport.cn

1457。姓名: 夹谷钦居

住址（机场）：安徽省淮南市潘集区山斌路 403 号淮南易焯国际机场（邮政编码：498037）。联系电话：33126667。电子邮箱：ythpn@qpsvzhly.airports.cn

Zhù zhǐ: Jiágǔ Qīn Jū Ānhuī Shěng Huáinán Shì Pānjí Qū Shān Bīn Lù 403 Hào Huáinán Yì Zhuō Guó Jì Jī Chǎng (Yóuzhèng Biānmǎ：498037). Liánxì Diànhuà：33126667. Diànzǐ Yóuxiāng：ythpn@qpsvzhly.airports.cn

Qin Ju Jiagu, Huainan Yi Zhuo International Airport, 403 Shan Bin Road, Panji District, Huainan, Anhui. Postal Code: 498037. Phone Number：33126667. E-mail：ythpn@qpsvzhly.airports.cn

1458。姓名: 言淹龙

住址（大学）：安徽省池州市青阳县可食大学禹帆路 133 号（邮政编码：328167）。联系电话：40062572。电子邮箱：xoidk@gwksvnfb.edu.cn

Zhù zhǐ: Yán Yān Lóng Ānhuī Shěng Chízhōu Shì Qīng Yáng Xiàn Kě Shí DàxuéYǔ Fān Lù 133 Hào (Yóuzhèng Biānmǎ：328167). Liánxì Diànhuà：40062572. Diànzǐ Yóuxiāng：xoidk@gwksvnfb.edu.cn

Yan Long Yan, Ke Shi University, 133 Yu Fan Road, Qingyang County, Chizhou, Anhui. Postal Code: 328167. Phone Number：40062572. E-mail：xoidk@gwksvnfb.edu.cn

1459。姓名: 祖人伦

住址（大学）：安徽省合肥市瑶海区顺祥大学译冠路 662 号（邮政编码：301231）。联系电话：87938186。电子邮箱：vhcgo@idtmaxwc.edu.cn

Zhù zhǐ: Zǔ Rén Lún Ānhuī Shěng Héféi Shì Yáo Hǎiqū Shùn Xiáng DàxuéYì Guàn Lù 662 Hào (Yóuzhèng Biānmǎ：301231). Liánxì Diànhuà：87938186. Diànzǐ Yóuxiāng：vhcgo@idtmaxwc.edu.cn

Ren Lun Zu, Shun Xiang University, 662 Yi Guan Road, Yaohai District, Hefei, Anhui. Postal Code: 301231. Phone Number： 87938186. E-mail： vhcgo@idtmaxwc.edu.cn

1460。姓名: 杭轼钦

住址（广场）：安徽省黄山市黄山区龙亮路 831 号惟员广场（邮政编码：132882）。联系电话：76644474。电子邮箱：ibkwh@diruzovc.squares.cn

Zhù zhǐ: Háng Shì Qīn Ānhuī Shěng Huángshān Shì Huángshānqū Lóng Liàng Lù 831 Hào Wéi Yuán Guǎng Chǎng (Yóuzhèng Biānmǎ： 132882). Liánxì Diànhuà： 76644474. Diànzǐ Yóuxiāng： ibkwh@diruzovc.squares.cn

Shi Qin Hang, Wei Yuan Square, 831 Long Liang Road, Huangshan District, Huangshan, Anhui. Postal Code: 132882. Phone Number： 76644474. E-mail： ibkwh@diruzovc.squares.cn

1461。姓名: 万可超

住址（医院）：安徽省阜阳市颍泉区甫汉路 577 号泽茂医院（邮政编码：875975）。联系电话：86117117。电子邮箱：ugils@gectdvuq.health.cn

Zhù zhǐ: Wàn Kě Chāo Ānhuī Shěng Fùyáng Shì Yǐng Quán Qū Fǔ Hàn Lù 577 Hào Zé Mào Yī Yuàn (Yóuzhèng Biānmǎ： 875975). Liánxì Diànhuà： 86117117. Diànzǐ Yóuxiāng： ugils@gectdvuq.health.cn

Ke Chao Wan, Ze Mao Hospital, 577 Fu Han Road, Yingquan District, Fuyang, Anhui. Postal Code: 875975. Phone Number： 86117117. E-mail： ugils@gectdvuq.health.cn

1462。姓名: 鞠骥锤

住址（寺庙）：安徽省宿州市埇桥区翼胜路 649 号九盛寺（邮政编码：628647）。联系电话：43968561。电子邮箱：acump@yxbcmlfu.god.cn

Zhù zhǐ: Jū Jì Chuí Ānhuī Shěng Sùzhōu Shì Yǒng Qiáo Qū Yì Shēng Lù 649 Hào Jiǔ Chéng Sì (Yóuzhèng Biānmǎ： 628647). Liánxì Diànhuà： 43968561. Diànzǐ Yóuxiāng： acump@yxbcmlfu.god.cn

Ji Chui Ju, Jiu Cheng Temple, 649 Yi Sheng Road, Yongqiao District, Suzhou, Anhui. Postal Code: 628647. Phone Number： 43968561. E-mail： acump@yxbcmlfu.god.cn

1463。姓名: 麻亮冠

住址（广场）：安徽省铜陵市铜官区大圣路 733 号译磊广场（邮政编码：380516）。联系电话：20838694。电子邮箱：sjtve@uclnitbm.squares.cn

Zhù zhǐ: Má Liàng Guān Ānhuī Shěng Tónglíng Shì Tóng Guān Qū Dài Shèng Lù 733 Hào Yì Lěi Guǎng Chǎng (Yóuzhèng Biānmǎ： 380516). Liánxì Diànhuà： 20838694. Diànzǐ Yóuxiāng： sjtve@uclnitbm.squares.cn

Liang Guan Ma, Yi Lei Square, 733 Dai Sheng Road, Tongguan District, Tongling, Anhui. Postal Code: 380516. Phone Number： 20838694. E-mail： sjtve@uclnitbm.squares.cn

1464。姓名: 赫连豪懂

住址（医院）：安徽省阜阳市太和县沛克路 260 号可化医院（邮政编码：204250）。联系电话：55737340。电子邮箱：oumlb@ntkgafol.health.cn

Zhù zhǐ: Hèlián Háo Dǒng Ānhuī Shěng Fùyáng Shì Tài Hé Xiàn Bèi Kè Lù 260 Hào Kě Huà Yī Yuàn (Yóuzhèng Biānmǎ： 204250). Liánxì Diànhuà： 55737340. Diànzǐ Yóuxiāng： oumlb@ntkgafol.health.cn

Hao Dong Helian, Ke Hua Hospital, 260 Bei Ke Road, Taihe County, Fuyang, Anhui. Postal Code: 204250. Phone Number： 55737340. E-mail： oumlb@ntkgafol.health.cn

1465。姓名: 呼延盛食

住址（酒店）：安徽省六安市霍山县坤坚路 565 号院中酒店（邮政编码：880457）。联系电话：93973887。电子邮箱：oxksu@yqdhtekc.biz.cn

Zhù zhǐ: Hūyán Chéng Yì Ānhuī Shěng Liù Ān Shì Huòshānxiàn Kūn Jiān Lù 565 Hào Yuàn Zhòng Jiǔ Diàn (Yóuzhèng Biānmǎ：880457). Liánxì Diànhuà：93973887. Diànzǐ Yóuxiāng：oxksu@yqdhtekc.biz.cn

Cheng Yi Huyan, Yuan Zhong Hotel, 565 Kun Jian Road, Huoshan County, Luan, Anhui. Postal Code: 880457. Phone Number：93973887. E-mail：oxksu@yqdhtekc.biz.cn

1466。姓名: 岳际游

住址（火车站）：安徽省蚌埠市龙子湖区澜寰路 796 号蚌埠站（邮政编码：502043）。联系电话：58754318。电子邮箱：kpxos@cwfmyodx.chr.cn

Zhù zhǐ: Yuè Jì Yóu Ānhuī Shěng Bàngbù Shì Lóng Zi Húqū Lán Huán Lù 796 Hào Bàngbù Zhàn (Yóuzhèng Biānmǎ：502043). Liánxì Diànhuà：58754318. Diànzǐ Yóuxiāng：kpxos@cwfmyodx.chr.cn

Ji You Yue, Bengbu Railway Station, 796 Lan Huan Road, Longzihu District, Bengbu, Anhui. Postal Code: 502043. Phone Number：58754318. E-mail：kpxos@cwfmyodx.chr.cn

1467。姓名: 钦俊征

住址（寺庙）：安徽省池州市石台县鸣沛路 561 号陆昌寺（邮政编码：795735）。联系电话：74000734。电子邮箱：zcsmk@tcbqfomw.god.cn

Zhù zhǐ: Qīn Jùn Zhēng Ānhuī Shěng Chízhōu Shì Shí Tái Xiàn Míng Pèi Lù 561 Hào Lù Chāng Sì (Yóuzhèng Biānmǎ：795735). Liánxì Diànhuà：74000734. Diànzǐ Yóuxiāng：zcsmk@tcbqfomw.god.cn

Jun Zheng Qin, Lu Chang Temple, 561 Ming Pei Road, Shitai County, Chizhou, Anhui. Postal Code: 795735. Phone Number：74000734. E-mail：zcsmk@tcbqfomw.god.cn

1468。姓名: 全克亚

住址（公司）：安徽省黄山市徽州区钊涛路 341 号亮易有限公司（邮政编码：995700）。联系电话：22245210。电子邮箱：ylbtn@lostnkhb.biz.cn

Zhù zhǐ: Quán Kè Yà Ānhuī Shěng Huángshān Shì Huīzhōu Qū Zhāo Tāo Lù 341 Hào Liàng Yì Yǒuxiàn Gōngsī (Yóuzhèng Biānmǎ：995700). Liánxì Diànhuà：22245210. Diànzǐ Yóuxiāng：ylbtn@lostnkhb.biz.cn

Ke Ya Quan, Liang Yi Corporation, 341 Zhao Tao Road, Huizhou District, Huangshan, Anhui. Postal Code: 995700. Phone Number：22245210. E-mail：ylbtn@lostnkhb.biz.cn

1469。姓名: 勾食坚

住址（博物院）：安徽省安庆市大观区陆化路 358 号安庆博物馆（邮政编码：398043）。联系电话：12993978。电子邮箱：xqwye@oyghkbtq.museums.cn

Zhù zhǐ: Gōu Yì Jiān Ānhuī Shěng Ānqìng Shì Dàguān Qū Lù Huà Lù 358 Hào Ānqng Bó Wù Guǎn (Yóuzhèng Biānmǎ：398043). Liánxì Diànhuà：12993978. Diànzǐ Yóuxiāng：xqwye@oyghkbtq.museums.cn

Yi Jian Gou, Anqing Museum, 358 Lu Hua Road, Daguan District, Anqing, Anhui. Postal Code: 398043. Phone Number：12993978. E-mail：xqwye@oyghkbtq.museums.cn

1470。姓名: 程庆金

住址（公司）：安徽省六安市舒城县先恩路 445 号先克有限公司（邮政编码：177031）。联系电话：24363167。电子邮箱：umgse@pudacnmz.biz.cn

Zhù zhǐ: Chéng Qìng Jīn Ānhuī Shěng Liù Ān Shì Shū Chéng Xiàn Xiān Ēn Lù 445 Hào Xiān Kè Yǒuxiàn Gōngsī (Yóuzhèng Biānmǎ：177031). Liánxì Diànhuà：24363167. Diànzǐ Yóuxiāng：umgse@pudacnmz.biz.cn

Qing Jin Cheng, Xian Ke Corporation, 445 Xian En Road, Shucheng County, Luan, Anhui. Postal Code: 177031. Phone Number： 24363167. E-mail：umgse@pudacnmz.biz.cn

CHAPTER 5: NAME, SURNAME & ADDRESSES (121-150)

1471。姓名: 时员食

住址（广场）：安徽省六安市霍邱县斌晗路 566 号发己广场（邮政编码：826406）。联系电话：20917475。电子邮箱：obdyn@efyzqgxl.squares.cn

Zhù zhǐ: Shí Yún Yì Ānhuī Shěng Liù Ān Shì Huò Qiū Xiàn Bīn Hán Lù 566 Hào Fā Jǐ Guǎng Chǎng (Yóuzhèng Biānmǎ：826406). Liánxì Diànhuà：20917475. Diànzǐ Yóuxiāng：obdyn@efyzqgxl.squares.cn

Yun Yi Shi, Fa Ji Square, 566 Bin Han Road, Huoqiu County, Luan, Anhui. Postal Code: 826406. Phone Number：20917475. E-mail：obdyn@efyzqgxl.squares.cn

1472。姓名: 仲孙寰熔

住址（广场）：安徽省芜湖市三山经济开发区隆兆路 869 号大淹广场（邮政编码：402957）。联系电话：27371773。电子邮箱：rovgz@rcznemsa.squares.cn

Zhù zhǐ: Zhòngsūn Huán Róng Ānhuī Shěng Wúhú Shì Sānshān Jīngjì Kāifā Qū Lóng Zhào Lù 869 Hào Dà Yān Guǎng Chǎng (Yóuzhèng Biānmǎ：402957). Liánxì Diànhuà：27371773. Diànzǐ Yóuxiāng：rovgz@rcznemsa.squares.cn

Huan Rong Zhongsun, Da Yan Square, 869 Long Zhao Road, Sanshan Economic Development Zone, Wuhu, Anhui. Postal Code: 402957. Phone Number：27371773. E-mail：rovgz@rcznemsa.squares.cn

1473。姓名: 池秀队

住址（博物院）：安徽省蚌埠市淮上区亭陆路 285 号蚌埠博物馆（邮政编码：387159）。联系电话：66598057。电子邮箱：lnwzk@zouickrd.museums.cn

Zhù zhǐ: Chí Xiù Duì Ānhuī Shěng Bàngbù Shì Huái Shàng Qū Tíng Liù Lù 285 Hào Bàngbù Bó Wù Guǎn (Yóuzhèng Biānmǎ：387159). Liánxì Diànhuà：66598057. Diànzǐ Yóuxiāng：lnwzk@zouickrd.museums.cn

Xiu Dui Chi, Bengbu Museum, 285 Ting Liu Road, Huaishang District, Bengbu, Anhui. Postal Code: 387159. Phone Number：66598057. E-mail：lnwzk@zouickrd.museums.cn

1474。姓名: 商禹轼

住址（湖泊）：安徽省池州市贵池区威庆路 507 号珏游湖（邮政编码：939593）。联系电话：44463822。电子邮箱：iqasf@qhbzuytp.lakes.cn

Zhù zhǐ: Shāng Yǔ Shì Ānhuī Shěng Chízhōu Shì Guì Chí Qū Wēi Qìng Lù 507 Hào Jué Yóu Hú (Yóuzhèng Biānmǎ：939593). Liánxì Diànhuà：44463822. Diànzǐ Yóuxiāng：iqasf@qhbzuytp.lakes.cn

Yu Shi Shang, Jue You Lake, 507 Wei Qing Road, Guichi District, Chizhou, Anhui. Postal Code: 939593. Phone Number：44463822. E-mail：iqasf@qhbzuytp.lakes.cn

1475。姓名: 荀来钢

住址（公共汽车站）：安徽省宣城市旌德县翼民路 316 号珏其站（邮政编码：566157）。联系电话：31248677。电子邮箱：bkdnt@kamhqbsl.transport.cn

Zhù zhǐ: Xún Lái Gāng Ānhuī Shěng Xuān Chéngshì Jīng Dé Xiàn Yì Mín Lù 316 Hào Jué Qí Zhàn (Yóuzhèng Biānmǎ：566157). Liánxì Diànhuà：31248677. Diànzǐ Yóuxiāng：bkdnt@kamhqbsl.transport.cn

Lai Gang Xun, Jue Qi Bus Station, 316 Yi Min Road, Jingde County, Xuancheng, Anhui. Postal Code: 566157. Phone Number：31248677. E-mail：bkdnt@kamhqbsl.transport.cn

1476。姓名: 谈歧国

住址（机场）：安徽省滁州市凤阳县乙翼路 457 号滁州圣食国际机场（邮政编码：251329）。联系电话：66293375。电子邮箱：vqtwd@snymiavd.airports.cn

Zhù zhǐ: Tán Qí Guó Ānhuī Shěng Chúzhōu Shì Fèng Yáng Xiàn Yǐ Yì Lù 457 Hào Cúzōu Shèng Yì Guó Jì Jī Chǎng (Yóuzhèng Biānmǎ：251329). Liánxì Diànhuà：66293375. Diànzǐ Yóuxiāng：vqtwd@snymiavd.airports.cn

Qi Guo Tan, Chuzhou Sheng Yi International Airport, 457 Yi Yi Road, Fengyang County, Chuzhou, Anhui. Postal Code: 251329. Phone Number：66293375. E-mail：vqtwd@snymiavd.airports.cn

1477。姓名: 韩源寰

住址（家庭）：安徽省蚌埠市淮上区冠勇路 180 号土白公寓 19 层 239 室（邮政编码：858603）。联系电话：81651756。电子邮箱：rjayc@wjdevbfi.cn

Zhù zhǐ: Hán Yuán Huán Ānhuī Shěng Bàngbù Shì Huái Shàng Qū Guàn Yǒng Lù 180 Hào Tǔ Bái Gōng Yù 19 Céng 239 Shì (Yóuzhèng Biānmǎ：858603). Liánxì Diànhuà：81651756. Diànzǐ Yóuxiāng：rjayc@wjdevbfi.cn

Yuan Huan Han, Room# 239, Floor# 19, Tu Bai Apartment, 180 Guan Yong Road, Huaishang District, Bengbu, Anhui. Postal Code: 858603. Phone Number：81651756. E-mail：rjayc@wjdevbfi.cn

1478。姓名: 空彬陆

住址（机场）：安徽省淮南市谢家集区亚土路 367 号淮南食晗国际机场（邮政编码：515246）。联系电话：91463650。电子邮箱：cmzlw@ztdjbakp.airports.cn

Zhù zhǐ: Kōng Bīn Lù Ānhuī Shěng Huáinán Shì Xiè Jiā Jí Qū Yà Tǔ Lù 367 Hào Huáinán Sì Hán Guó Jì Jī Chǎng (Yóuzhèng Biānmǎ：515246). Liánxì Diànhuà：91463650. Diànzǐ Yóuxiāng：cmzlw@ztdjbakp.airports.cn

Bin Lu Kong, Huainan Si Han International Airport, 367 Ya Tu Road, Xiejiaji District, Huainan, Anhui. Postal Code: 515246. Phone Number：91463650. E-mail：cmzlw@ztdjbakp.airports.cn

1479。姓名: 贺自桥

住址（机场）：安徽省宿州市萧县盛俊路 837 号宿州德员国际机场（邮政编码：846273）。联系电话：46057554。电子邮箱：wfkjr@fqtywbjv.airports.cn

Zhù zhǐ: Hè Zì Qiáo Ānhuī Shěng Sùzhōu Shì Xiāo Xiàn Chéng Jùn Lù 837 Hào ùzōu Dé Yuán Guó Jì Jī Chǎng (Yóuzhèng Biānmǎ：846273). Liánxì Diànhuà：46057554. Diànzǐ Yóuxiāng：wfkjr@fqtywbjv.airports.cn

Zi Qiao He, Suzhou De Yuan International Airport, 837 Cheng Jun Road, Xiao County, Suzhou, Anhui. Postal Code: 846273. Phone Number：46057554. E-mail：wfkjr@fqtywbjv.airports.cn

1480。姓名: 祝轶坤

住址（大学）：安徽省蚌埠市固镇县轼强大学咚领路 668 号（邮政编码：337589）。联系电话：68953508。电子邮箱：dwjcn@lyfzgrko.edu.cn

Zhù zhǐ: Zhù Yì Kūn Ānhuī Shěng Bàngbù Shì Gù Zhèn Xiàn Shì Qiáng DàxuéDōng Lǐng Lù 668 Hào (Yóuzhèng Biānmǎ：337589). Liánxì Diànhuà：68953508. Diànzǐ Yóuxiāng：dwjcn@lyfzgrko.edu.cn

Yi Kun Zhu, Shi Qiang University, 668 Dong Ling Road, Guzhen County, Bengbu, Anhui. Postal Code: 337589. Phone Number：68953508. E-mail：dwjcn@lyfzgrko.edu.cn

1481。姓名: 巴土寰

住址（湖泊）：安徽省宣城市绩溪县葆大路 767 号计豪湖（邮政编码：136926）。联系电话：44884150。电子邮箱：yfbin@fcxiuzjq.lakes.cn

Zhù zhǐ: Bā Tǔ Huán Ānhuī Shěng Xuān Chéngshì Jīxī Xiàn Bǎo Dài Lù 767 Hào Jì Háo Hú (Yóuzhèng Biānmǎ：136926). Liánxì Diànhuà：44884150. Diànzǐ Yóuxiāng：yfbin@fcxiuzjq.lakes.cn

Tu Huan Ba, Ji Hao Lake, 767 Bao Dai Road, Jixi County, Xuancheng, Anhui. Postal Code: 136926. Phone Number：44884150. E-mail：yfbin@fcxiuzjq.lakes.cn

1482。姓名: 富食征

住址（大学）：安徽省宿州市埇桥区铭员大学食大路 723 号（邮政编码：448939）。联系电话：75929159。电子邮箱：epclt@jqrhgxiv.edu.cn

Zhù zhǐ: Fù Yì Zhēng Ānhuī Shěng Sùzhōu Shì Yǒng Qiáo Qū Míng Yuán DàxuéShí Dà Lù 723 Hào (Yóuzhèng Biānmǎ：448939). Liánxì Diànhuà：75929159. Diànzǐ Yóuxiāng：epclt@jqrhgxiv.edu.cn

Yi Zheng Fu, Ming Yuan University, 723 Shi Da Road, Yongqiao District, Suzhou, Anhui. Postal Code: 448939. Phone Number：75929159. E-mail：epclt@jqrhgxiv.edu.cn

1483。姓名: 桑源谢

住址（大学）：安徽省池州市东至县德胜大学领龙路 369 号（邮政编码：377865）。联系电话：82222917。电子邮箱：czmqr@cephsjaf.edu.cn

Zhù zhǐ: Sāng Yuán Xiè Ānhuī Shěng Chízhōu Shì Dōng Zhì Xiàn Dé Shēng DàxuéLǐng Lóng Lù 369 Hào (Yóuzhèng Biānmǎ：377865). Liánxì Diànhuà：82222917. Diànzǐ Yóuxiāng：czmqr@cephsjaf.edu.cn

Yuan Xie Sang, De Sheng University, 369 Ling Long Road, Dongzhi County, Chizhou, Anhui. Postal Code: 377865. Phone Number：82222917. E-mail：czmqr@cephsjaf.edu.cn

1484。姓名: 卓寰大

住址（大学）：安徽省芜湖市镜湖区友宝大学振院路 549 号（邮政编码：233938）。联系电话：81853928。电子邮箱：lqjrc@bmoeughs.edu.cn

Zhù zhǐ: Zhuó Huán Dà Ānhuī Shěng Wúhú Shì Jìng Húqū Yǒu Bǎo DàxuéZhèn Yuàn Lù 549 Hào (Yóuzhèng Biānmǎ：233938). Liánxì Diànhuà：81853928. Diànzǐ Yóuxiāng：lqjrc@bmoeughs.edu.cn

Huan Da Zhuo, You Bao University, 549 Zhen Yuan Road, Mirror Lake District, Wuhu, Anhui. Postal Code: 233938. Phone Number：81853928. E-mail：lqjrc@bmoeughs.edu.cn

1485。姓名: 钱磊寰

住址（医院）：安徽省铜陵市义安区钢宝路 630 号南兆医院（邮政编码：774678）。联系电话：67040316。电子邮箱：nfokm@worxvczs.health.cn

Zhù zhǐ: Qián Lěi Huán Ānhuī Shěng Tónglíng Shì Yì Ān Qū Gāng Bǎo Lù 630 Hào Nán Zhào Yī Yuàn (Yóuzhèng Biānmǎ：774678). Liánxì Diànhuà：67040316. Diànzǐ Yóuxiāng：nfokm@worxvczs.health.cn

Lei Huan Qian, Nan Zhao Hospital, 630 Gang Bao Road, Yi An District, Tongling, Anhui. Postal Code: 774678. Phone Number：67040316. E-mail：nfokm@worxvczs.health.cn

1486。姓名: 钮红石

住址（酒店）：安徽省淮北市烈山区鹤轼路 106 号钊敬酒店（邮政编码：549989）。联系电话：63535379。电子邮箱：yjvxg@kivfdgmo.biz.cn

Zhù zhǐ: Niǔ Hóng Dàn Ānhuī Shěng Huáiběi Shì Liè Shānqū Hè Shì Lù 106 Hào Zhāo Jìng Jiǔ Diàn (Yóuzhèng Biānmǎ：549989). Liánxì Diànhuà：63535379. Diànzǐ Yóuxiāng：yjvxg@kivfdgmo.biz.cn

Hong Dan Niu, Zhao Jing Hotel, 106 He Shi Road, Lieshan District, Huaibei, Anhui. Postal Code: 549989. Phone Number：63535379. E-mail：yjvxg@kivfdgmo.biz.cn

1487。姓名: 窦仓化

住址（大学）：安徽省蚌埠市禹会区易钦大学谢斌路 759 号（邮政编码：712399）。联系电话：90816726。电子邮箱：tyfog@aynzkuhw.edu.cn

Zhù zhǐ: Dòu Cāng Huā Ānhuī Shěng Bàngbù Shì Yǔ Huì Qū Yì Qīn DàxuéXiè Bīn Lù 759 Hào (Yóuzhèng Biānmǎ：712399). Liánxì Diànhuà：90816726. Diànzǐ Yóuxiāng：tyfog@aynzkuhw.edu.cn

Cang Hua Dou, Yi Qin University, 759 Xie Bin Road, Yuhui District, Bengbu, Anhui. Postal Code: 712399. Phone Number：90816726. E-mail：tyfog@aynzkuhw.edu.cn

1488。姓名: 司寇辉亮

住址（机场）：安徽省蚌埠市禹会区焯守路 608 号蚌埠世亭国际机场（邮政编码：600997）。联系电话：38213087。电子邮箱：cbzjy@csmiqlzu.airports.cn

Zhù zhǐ: Sīkòu Huī Liàng Ānhuī Shěng Bàngbù Shì Yǔ Huì Qū Chāo Shǒu Lù 608 Hào Bàngbù Shì Tíng Guó Jì Jī Chǎng (Yóuzhèng Biānmǎ：600997). Liánxì Diànhuà：38213087. Diànzǐ Yóuxiāng：cbzjy@csmiqlzu.airports.cn

Hui Liang Sikou, Bengbu Shi Ting International Airport, 608 Chao Shou Road, Yuhui District, Bengbu, Anhui. Postal Code: 600997. Phone Number：38213087. E-mail：cbzjy@csmiqlzu.airports.cn

1489。姓名: 广焯咚

住址（公共汽车站）：安徽省芜湖市镜湖区舟石路 772 号白焯站（邮政编码：387424）。联系电话：56436635。电子邮箱：sajbf@pnsiaftl.transport.cn

Zhù zhǐ: Guǎng Chāo Dōng Ānhuī Shěng Wúhú Shì Jìng Húqū Zhōu Dàn Lù 772 Hào Bái Chāo Zhàn (Yóuzhèng Biānmǎ：387424). Liánxì Diànhuà：56436635. Diànzǐ Yóuxiāng：sajbf@pnsiaftl.transport.cn

Chao Dong Guang, Bai Chao Bus Station, 772 Zhou Dan Road, Mirror Lake District, Wuhu, Anhui. Postal Code: 387424. Phone Number：56436635. E-mail：sajbf@pnsiaftl.transport.cn

1490。姓名: 钟离兵守

住址（机场）：安徽省安庆市潜山市柱磊路 508 号安庆智跃国际机场（邮政编码：367472）。联系电话：27185869。电子邮箱：pnokt@agzykunm.airports.cn

Zhù zhǐ: Zhōnglí Bīng Shǒu Ānhuī Shěng Ānqìng Shì Qián Shān Shì Zhù Lěi Lù 508 Hào Ānqng Zhì Yuè Guó Jì Jī Chǎng（Yóuzhèng Biānmǎ：367472). Liánxì Diànhuà：27185869. Diànzǐ Yóuxiāng：pnokt@agzykunm.airports.cn

Bing Shou Zhongli, Anqing Zhi Yue International Airport, 508 Zhu Lei Road, Qianshan City, Anqing, Anhui. Postal Code: 367472. Phone Number：27185869. E-mail：pnokt@agzykunm.airports.cn

1491。姓名: 乜宽禹

住址（公司）：安徽省阜阳市界首市院领路 549 号计盛有限公司（邮政编码：242029）。联系电话：20520170。电子邮箱：isevk@eikzxacj.biz.cn

Zhù zhǐ: Niè Kuān Yǔ Ānhuī Shěng Fùyáng Shì Jiè Shǒu Shì Yuàn Lǐng Lù 549 Hào Jì Chéng Yǒuxiàn Gōngsī（Yóuzhèng Biānmǎ：242029). Liánxì Diànhuà：20520170. Diànzǐ Yóuxiāng：isevk@eikzxacj.biz.cn

Kuan Yu Nie, Ji Cheng Corporation, 549 Yuan Ling Road, Jieshou City, Fuyang, Anhui. Postal Code: 242029. Phone Number：20520170. E-mail：isevk@eikzxacj.biz.cn

1492。姓名: 穆咚黎

住址（博物院）：安徽省合肥市长丰县坚胜路 628 号合肥博物馆（邮政编码：151933）。联系电话：33067971。电子邮箱：lcqmo@ivjywctp.museums.cn

Zhù zhǐ: Mù Dōng Lí Ānhuī Shěng Héféi Shì Zhǎng Fēngxiàn Jiān Shēng Lù 628 Hào Héféi Bó Wù Guǎn (Yóuzhèng Biānmǎ: 151933). Liánxì Diànhuà: 33067971. Diànzǐ Yóuxiāng: lcqmo@ivjywctp.museums.cn

Dong Li Mu, Hefei Museum, 628 Jian Sheng Road, Changfeng County, Hefei, Anhui. Postal Code: 151933. Phone Number: 33067971. E-mail: lcqmo@ivjywctp.museums.cn

1493。姓名: 储不领

住址（湖泊）：安徽省蚌埠市禹会区黎禹路 776 号计人湖（邮政编码：488302）。联系电话：48868047。电子邮箱：zgqvt@pwsvjtzg.lakes.cn

Zhù zhǐ: Chǔ Bù Lǐng Ānhuī Shěng Bàngbù Shì Yǔ Huì Qū Lí Yǔ Lù 776 Hào Jì Rén Hú (Yóuzhèng Biānmǎ: 488302). Liánxì Diànhuà: 48868047. Diànzǐ Yóuxiāng: zgqvt@pwsvjtzg.lakes.cn

Bu Ling Chu, Ji Ren Lake, 776 Li Yu Road, Yuhui District, Bengbu, Anhui. Postal Code: 488302. Phone Number: 48868047. E-mail: zgqvt@pwsvjtzg.lakes.cn

1494。姓名: 廖立豪

住址（公共汽车站）：安徽省淮北市烈山区尚威路 672 号进铭站（邮政编码：683497）。联系电话：42945519。电子邮箱：ojlba@yjvlcbwd.transport.cn

Zhù zhǐ: Liào Lì Háo Ānhuī Shěng Huáiběi Shì Liè Shānqū Shàng Wēi Lù 672 Hào Jìn Míng Zhàn (Yóuzhèng Biānmǎ: 683497). Liánxì Diànhuà: 42945519. Diànzǐ Yóuxiāng: ojlba@yjvlcbwd.transport.cn

Li Hao Liao, Jin Ming Bus Station, 672 Shang Wei Road, Lieshan District, Huaibei, Anhui. Postal Code: 683497. Phone Number: 42945519. E-mail: ojlba@yjvlcbwd.transport.cn

1495。姓名: 景轼译

住址（广场）：安徽省滁州市南谯区大波路 762 号近焯广场（邮政编码：959496）。联系电话：28815913。电子邮箱：eoqdn@picnfwmt.squares.cn

Zhù zhǐ: Jǐng Shì Yì Ānhuī Shěng Chúzhōu Shì Nán Qiáo Qū Dài Bō Lù 762 Hào Jìn Zhuō Guǎng Chǎng (Yóuzhèng Biānmǎ：959496). Liánxì Diànhuà：28815913. Diànzǐ Yóuxiāng：eoqdn@picnfwmt.squares.cn

Shi Yi Jing, Jin Zhuo Square, 762 Dai Bo Road, Nanqiao District, Chuzhou, Anhui. Postal Code: 959496. Phone Number：28815913. E-mail：eoqdn@picnfwmt.squares.cn

1496。姓名: 佴珏奎

住址（酒店）：安徽省马鞍山市含山县舟轼路 321 号晗发酒店（邮政编码：570355）。联系电话：80676198。电子邮箱：gbdey@coxjifwv.biz.cn

Zhù zhǐ: Nài Jué Kuí Ānhuī Shěng Mǎānshān Shì Hánshānxiàn Zhōu Shì Lù 321 Hào Hán Fā Jiǔ Diàn (Yóuzhèng Biānmǎ：570355). Liánxì Diànhuà：80676198. Diànzǐ Yóuxiāng：gbdey@coxjifwv.biz.cn

Jue Kui Nai, Han Fa Hotel, 321 Zhou Shi Road, Hanshan County, Maanshan, Anhui. Postal Code: 570355. Phone Number：80676198. E-mail：gbdey@coxjifwv.biz.cn

1497。姓名: 傅敬葆

住址（火车站）：安徽省黄山市屯溪区宽克路 220 号黄山站（邮政编码：576400）。联系电话：70656138。电子邮箱：ajqhg@asiporgt.chr.cn

Zhù zhǐ: Fù Jìng Bǎo Ānhuī Shěng Huángshān Shì Tún Xī Qū Kuān Kè Lù 220 Hào Huángsān Zhàn (Yóuzhèng Biānmǎ：576400). Liánxì Diànhuà：70656138. Diànzǐ Yóuxiāng：ajqhg@asiporgt.chr.cn

Jing Bao Fu, Huangshan Railway Station, 220 Kuan Ke Road, Tunxi District, Huangshan, Anhui. Postal Code: 576400. Phone Number：70656138. E-mail：ajqhg@asiporgt.chr.cn

1498。姓名: 澹台隆屹

住址（机场）：安徽省六安市金寨县石南路 495 号六安茂光国际机场（邮政编码：825292）。联系电话：16308248。电子邮箱：jlrhm@vlsjwhdx.airports.cn

Zhù zhǐ: Tántái Lóng Yì Ānhuī Shěng Liù Ān Shì Jīn Zhài Xiàn Shí Nán Lù 495 Hào Liù Ān Mào Guāng Guó Jì Jī Chǎng (Yóuzhèng Biānmǎ：825292). Liánxì Diànhuà：16308248. Diànzǐ Yóuxiāng：jlrhm@vlsjwhdx.airports.cn

Long Yi Tantai, Luan Mao Guang International Airport, 495 Shi Nan Road, Jinzhai County, Luan, Anhui. Postal Code: 825292. Phone Number：16308248. E-mail：jlrhm@vlsjwhdx.airports.cn

1499。姓名: 从腾南

住址（公共汽车站）：安徽省淮南市潘集区铁独路 626 号炯波站（邮政编码：141493）。联系电话：43863773。电子邮箱：pngux@ruaxicwo.transport.cn

Zhù zhǐ: Cóng Téng Nán Ānhuī Shěng Huáinán Shì Pānjí Qū Fū Dú Lù 626 Hào Jiǒng Bō Zhàn (Yóuzhèng Biānmǎ：141493). Liánxì Diànhuà：43863773. Diànzǐ Yóuxiāng：pngux@ruaxicwo.transport.cn

Teng Nan Cong, Jiong Bo Bus Station, 626 Fu Du Road, Panji District, Huainan, Anhui. Postal Code: 141493. Phone Number：43863773. E-mail：pngux@ruaxicwo.transport.cn

1500。姓名: 太叔祥骥

住址（家庭）：安徽省亳州市利辛县全翰路 891 号近胜公寓 19 层 203 室（邮政编码：634819）。联系电话：88367153。电子邮箱：ulqna@ypkqtezj.cn

Zhù zhǐ: Tàishū Xiáng Jì Ānhuī Shěng Bózhōu Lì Xīn Xiàn Quán Hàn Lù 891 Hào Jìn Shēng Gōng Yù 19 Céng 203 Shì (Yóuzhèng Biānmǎ：634819). Liánxì Diànhuà：88367153. Diànzǐ Yóuxiāng：ulqna@ypkqtezj.cn

Xiang Ji Taishu, Room# 203, Floor# 19, Jin Sheng Apartment, 891 Quan Han Road, Lixin County, Bozhou, Anhui. Postal Code: 634819. Phone Number：88367153. E-mail：ulqna@ypkqtezj.cn

Milton Keynes UK
Ingram Content Group UK Ltd.
UKHW032053231123
433129UK00014B/672